SIDNEY SHELDON

Kirschblüten und Coca-Cola

Buch

Masao, einziger Sohn einer reichen japanischen Unternehmerfamilie, tappt ahnungslos in eine Falle. Der Achtzehnjährige ist mit Onkel und Tante nach Amerika gekommen, um die Asche seiner Eltern heimzuholen, die bei einem Flugzeugunglück das Leben verloren haben. Noch ganz benommen vom Tod der Eltern und von der Testamentseröffnung, die ihn zum Alleinerben des Industrieimperiums macht, hört Masao Bruchstücke eines Gesprächs, und ein furchtbarer Argwohn steigt in ihm auf: Will ihn sein Onkel aus dem Weg räumen, um in den Besitz der Firma zu kommen? Ein erster Fluchtversuch Masaos endet kläglich, und in der Nacht darauf wird der Verdacht zur Gewißheit: Masao soll sterben. In letzter Sekunde gelingt es dem Jungen zu entfliehen. Er schlägt sich nach New York durch. Auf abenteuerliche Weise entkommt er auch dort immer wieder den Häschern seines Onkels. Die Flucht führt Masao weiter, quer durch die Vereinigten Staaten, von der Ostküste bis nach Los Angeles, und als Masao schon glaubt, es geschafft zu haben, steht Teruo Sato, der Onkel, vor ihm …

Autor

Sidney Sheldon, 1917 in Chicago geboren, schrieb schon früh für die Studios in Hollywood. Bereits mit fünfundzwanzig Jahren hatte er große Erfolge am Broadway. Am bekanntesten aus dieser Zeit ist wohl sein Drehbuch zu dem Musical »Annie, Get Your Gun«. Seit langem veröffentlicht Sheldon Romane, die auch in Deutschland Bestseller wurden.

Außer dem vorliegenden Band sind von Sidney Sheldon als Goldmann-Taschenbücher erschienen:

Diamanten-Dynastie. Roman (6785) · Das Imperium. Roman (42951) · Im Schatten der Götter. Roman (9263) · Kalte Glut. Roman (8876) · Die letzte Verschwörung. Roman (42372) · Die Mühlen Gottes. Roman (9916) · Das nackte Gesicht. Roman (6680) · Die Pflicht zu schweigen. Roman (43378) · Schatten der Macht. Roman (42002) · Zorn der Engel. Roman (6553) · Das Erbe. Roman (43997)

Sidney Sheldon

Kirschblüten und Coca-Cola

Roman

Aus dem Amerikanischen
von Thomas Lindquist

GOLDMANN

Ungekürzte Ausgabe
Titel der Originalausgabe: The Chase

Umwelthinweis:
Alle bedruckten Materialien dieses Taschenbuches
sind chlorfrei und umweltschonend.

Der Goldmann Verlag
ist ein Unternehmen der Verlagsgruppe Bertelsmann GmbH

Genehmigte Taschenbuchausgabe 4/88
© 1981 der Originalausgabe
bei The Sheldon Literary Trust
Alle deutschen Rechte
bei C. Bertelsmann Verlag, München 1983,
in der Verlagsgruppe Bertelsmann GmbH
Umschlagentwurf: Design Team München
Umschlagmotiv: ZEFA – Marc Segal
Druck: Elsnerdruck, Berlin
Verlagsnummer: 9144
Lektorat: Ursula Heckel
BH · Herstellung: Heidrun Nawrot/sc
Made in Germany
ISBN 3-442-09144-6
www.goldmann-verlag.de

19 20 18

Prolog

»Paß auf!«

Der Pilot wußte, sie würden sterben.

Der große, zwölfsitzige Silver Arrow Jet wurde von den mächtigen Sturmböen über den Appalachen wie ein Spielzeug am Himmel hin und her geworfen. Der Pilot und der Kopilot hatten Mühe, die Nase des Flugzeugs oben zu halten, so mußten sie gegen die tückischen Fallwinde kämpfen. Es war ein herrliches Flugzeug, sorgfältig konstruiert und bestens gebaut. Aber in den letzten Minuten hatten die Triebwerke angefangen zu stottern. Einer der beiden Passagiere in der luxuriös ausgestatteten Kabine des Flugzeugs kam nach vorne ins Cockpit und sagte: »Irgendwas stimmt nicht mit der Treibstoffleitung. Die Triebwerke kriegen nicht genug Kraft.«

Unter normalen Umständen hätte der Pilot dem Passagier befohlen, wieder auf seinen Platz zurückzugehen. Aber dies hier waren keine normalen Umstände. Der Passagier hatte dieses Flugzeug selbst konstruiert und gebaut. Es war Mr. Yoneo Matsumoto, der Gründer und Vorstandsvorsitzende eines der größten Konzerne der Welt.

Der Pilot sagte: »Wir verlieren alle Schubkraft.«

Die drei Männer wußten, was das bedeutete. Die Sicht war null, und rundumher ragten die tödlichen, unsichtbaren Berggipfel und warteten auf sie. Ohne genügend Schubkraft konnte das Flugzeug nicht hoch genug steigen, um der Gefahr zu entrinnen.

Das Flugzeug begann Höhe zu verlieren. Yoneo Matsumoto studierte einen Augenblick die Instrumente, dann wandte er sich ab und ging zurück in die Kabine, zu seiner Frau Eiko. Ihr Gesicht zeigte keine Furcht, nur den Ausdruck von Frieden und Ergebenheit, und er wußte, daß sie keine Angst hatte. Er nahm ihre Hand in die seine, und sie lächelte ihn an, die Augen voller Liebe.

Yoneo Matsumoto war bereit, dem Tod zu begegnen. Er hatte ein erfülltes, reiches Leben gelebt, und er hatte mehr vollbracht als die meisten Menschen. Mit nichts in der Hand hatte er Matsumoto Industries gegründet, eine Firma, auf die jeder Mann stolz sein durfte. Er hatte Tausende von Angestellten, die in Dutzenden von Fabriken rund um die Welt für ihn arbeiteten, und er war beliebt und geachtet.

Seine Gedanken wanderten zurück, an den Anfang, als er noch ganz jung gewesen war, gerade frisch von der Universität gekommen. Er hatte eine natürliche Begabung für die Elektronik, und man machte ihm viele gute berufliche Angebote.

Aber er lernte Eiko kennen und verliebte sich in sie, und sie machte ihm Mut, seine eigene Firma zu gründen. In den ersten fünf Jahren arbeitete er Tag und Nacht, strengte sich an, genug Geld für den Unterhalt von Eiko und Masao, ihren kleinen Jungen, zu verdienen. Es war ein schwieriger Weg, den Yoneo Matsumoto sich erwählte, aber er war ehrgeizig und begabt, und nichts konnte ihn aufhalten. Allmählich begann seine Firma zu wachsen, bis sie schließlich ein blühendes Unternehmen wurde. Die Firma Matsumoto Industries übernahm mit der Zeit andere Firmen und Filialen, und so wurde aus dem jungen Unternehmen allmählich ein Wirtschaftsgigant - eine weltumspannende Dynastie, die Flugzeuge und Computer, Kameras und Radios, Fernsehgeräte und Hunderte anderer Geräte baute . . .

Durch einen plötzlichen Donnerschlag wurde er aus seinen Gedanken aufgeschreckt. Es folgte ein Blitzstrahl, der wie eine amoklaufende Riesenrakete den Himmel beleuchtete. Für einen Moment konnten die Menschen im Flugzeug sehen, was da draußen war: Sie waren umringt von gefährlichen Berggipfeln. Dann verblaßte der Blitz, und alles versank wieder in schwarzer Finsternis.

Yoneo Matsumoto drückte die Hand seiner Frau fester. In wenigen Minuten würde ihr beider Leben ausgelöscht sein; aber da war ihr Sohn Masao, den sie liebten - er würde das Werk fortsetzen. Masao würde das Matsumoto-Imperium erben, und er würde es gut führen.

Wieder ein heftiger Blitzstrahl, und sie erblickten eine Szene wie aus der Hölle: schneebedeckte Gipfel und brodelnde schwarze Wolken und - direkt vor ihnen - die Felsflanke eines Berges, die sie zu erwarten schien. Sekunden später schien die Welt in tausend Flammenfetzen zu explodieren.

Dann herrschte tödliches Schweigen, unterbrochen nur von dem Heulen des Windes, der über die endlose, einsame Landschaft fegte.

Erstes Kapitel

»Möchtest du noch Kaffee?«

»Nein, danke.«

Siebentausend Meilen entfernt, in einem verträumten Vorort von Tokyo, beendete Masao Matsumoto sein Frühstück. Masao war ein hübscher Junge, achtzehn Jahre alt, groß und kräftig gebaut, mit einem sensiblen Gesicht und strahlenden, intelligenten Augen. Er hatte die Kraft seines Vaters und die Sanftheit seiner Mutter geerbt, und das war eine Kombination, die ihn über den Durchschnitt hob. Masao hatte die High School als Klassenbester abgeschlossen. Er war Captain des Baseball-Teams seiner Schule gewesen und bei seinen Klassenkameraden sehr beliebt. Masao tanzte gern, und manchmal, wenn er keine Schularbeiten hatte, ging er in die Diskos von Shinjuku. Die Familie Matsumoto war eine der reichsten und mächtigsten Familien der Welt, aber darauf bildete sich Masao nichts ein. Er beurteilte die Menschen nach ihren persönlichen Vorzügen, und er hatte viele Freunde.

Masao war in dem Glauben erzogen worden, daß Anständigkeit und Rechtschaffenheit die höchsten Werte im Leben sind, und er hatte einen gesunden Humor. Seine Helden waren die Samurai-Krieger, die für ihre Ideale kämpften und bereit waren, dafür zu sterben.

Masao hatte Ferien und arbeitete in der Matsumoto-Fabrik in Tokyo, bevor er an der Universität anfangen wollte. Er hatte seines Vaters Begabung für Elektronik geerbt, und er

hatte seine eigenen Ideen, die er eines Tages in der Praxis ver-
wirklichen wollte.

Jetzt, als Masao sein Frühstück beendet hatte, kamen sein
Onkel Teruo Sato und seine Tante Sachiko ins Wohnzimmer.
Masao stand auf. »Teruo-ojisan. Sachiko-obasan.«

Seine Tante strich ihm über den Arm und sagte: »Masao-
chan.«

Masao mochte seine Tante Sachiko; sie war die Schwester
seines Vaters, und wenn sie auch nicht attraktiv aussah, war
sie doch eine freundliche und liebenswürdige Frau. Dauernd
flatterte sie wie ein kleiner Vogel umher, kümmerte sich um
jeden, sprach mit jedem, bot jedem zu essen an. Wie ein Ko-
libri, dachte Masao. Immer in Bewegung.

Ihren Mann mochte Masao weniger. Teruo Sato war ein
hochgewachsener dünner Mann. Er hatte kohlschwarze
Haare, einen dünnen Körper und ein dünnes Gesicht, dünne
Lippen und, so fand Masao, eine dünne Seele.

Sein Onkel hatte so etwas berechnend Kaltes, beinah Grau-
sames in seinem Wesen, das den Jungen störte. Masao hatte
Gerüchte gehört, der Onkel Teruo habe Sachiko Matsumoto
nur geheiratet, um zu der mächtigen Familie Matsumoto zu
gehören. Im Laufe der Zeit hatte Masaos Vater seinem Schwager eine wichtige Position als Finanz-Chef der Firma gegeben,
aber Teruo schien immer noch unzufrieden. Er war ein intelli-
genter Mann, kein Zweifel; aber es war eine Intelligenz, der
Masao mißtraute. Er spürte, daß sein Vater stolz war auf die
Qualität der Dinge, die er produzierte, während Onkel Teruo
nur an den Profit zu denken schien.

»Darf ich euch zum Frühstück einladen?« fragte Masao.

»Nein.« Teruos Gesicht zeigte eine besorgte Miene. »Ich
fürchte, wir bringen dir eine schlechte Nachricht.«

Einen Augenblick meinte Masao, sein Herz würde ausset-
zen. »Was . . . was ist passiert?«

»Deine Mutter und dein Vater. Sie kamen gestern abend bei einem Flugzeugunfall ums Leben. Ich habe es eben erfahren.«

Masao starrte ihn ungläubig an, ein Gefühl der Unwirklichkeit überfiel ihn. Seine Eltern konnten nicht tot sein, es war unmöglich! Sie waren beide so lebendig! Es war nur ein Alptraum, aus dem er jeden Moment aufwachen würde.

Teruo sagte: »Soviel ich verstanden habe, waren sie sofort tot. Sie haben bestimmt keinen Schmerz gespürt.«

Aber Masao spürte den Schmerz. Er spürte all den Schrecken und die Todesangst, die seine Eltern in den letzten Sekunden erlebt haben mußten, bevor sie starben.

»Ich . . .« Er glaubte ohnmächtig zu werden. Er holte tief Luft, um seine Selbstbeherrschung wiederzufinden. »Wo . . . ist es passiert?«

»In den Appalachen, im Osten der Vereinigten Staaten. Dein Vater war auf dem Weg, eine neue Fabrik zu eröffnen.« Teruo legte seinem Neffen den Arm um die Schulter. »Du und deine Tante Sachiko und ich werden morgen früh nach Amerika fliegen. Wir werden die Asche deiner Eltern nach Hause holen, damit sie hier ein angemessenes Begräbnis bekommen.«

Masao nickte, unfähig, etwas zu sagen.

Masao hatte keine Ahnung, wie lange seine Tante und sein Onkel schon da waren und auf ihn einredeten. Sie sprachen Worte voller Liebe und Trost, aber für Masao waren es nur Geräusche, die ohne Bedeutung an ihm vorbeifluteten. Sein Vater und seine Mutter lebten in seinem Herzen, sie sprachen mit ihm, hatten ihn lieb, machten mit ihm Pläne für die Zukunft, wie sie es immer getan hatten.

Weißt du, warum unser Geschäft so schnell wächst, Masao? Weil wir besser sind als alle anderen. Wir geben uns mehr Mühe. Wir haben das Glück, als Japaner geboren zu sein. In anderen Ländern streiken die Arbeiter die ganze Zeit. In Japan sind wir alle eine Familie, und was für den einzelnen gut ist, das ist auch für alle gut.

Masao erinnerte sich; er war zwölf Jahre, da war er einmal zu seinem Vater gelaufen. *Vater, ich hab eine Idee, ich glaub, die ist gut.*

Erzähle, Masao.

Du weißt doch, wie ein sanfter Wind eine Windmühle antreibt, um Strom zu machen?

Ja.

Also, wenn ein Auto mit neunzig oder hundert Stundenkilometern fährt, warum kann man nicht den Fahrtwind benutzen, um die Zahnräder im Motor anzutreiben, damit man weniger Benzin braucht?

Sein Vater hatte ernsthaft zugehört. *Das ist eine sehr gute Idee.* Dann hatte er Masao geduldig die Prinzipien der Physik erklärt, Kraft mal Geschwindigkeit, und die Gesetze der Mechanik. Masaos Idee war undurchführbar, aber sein Vater hatte ihm das Gefühl gegeben, sich etwas Großartiges ausgedacht zu haben.

Kunio Hidaka, der Generalmanager aller Matsumoto-Fabriken in den Vereinigten Staaten, war damals in Tokyo zu Besuch gewesen, und an diesem Abend, beim Essen, hatte Masaos Vater ihm stolz von der Idee seines Sohnes erzählt. Masao hatte sich sehr erwachsen gefühlt.

Kunio Hidaka war ein großer, freundlicher Mann, der immer Zeit für Masao und seine Probleme hatte. Immer wenn Mr. Hidaka nach Tokyo kam, brachte er Masao Geschenke mit; es waren wohlüberlegte Geschenke, die die Phantasie und die Träume des Jungen anregten. Er konnte Stunden damit zubringen, mit Masao über die Aufgaben von Matsumoto Industries zu sprechen. »Eines Tages wird die Firma dir gehören«, pflegte Kunio Hidaka zu sagen. »Du mußt alles lernen, was man darüber wissen muß.«

»Setzen Sie meinem Neffen keine Flausen in den Kopf«, erwiderte damals Onkel Teruo. »Er muß erst die Schule beenden. Nur daran sollte er denken.«

Masaos Vater lächelte und sagte diplomatisch: »Ihr habt beide recht. Zuerst die Schule, und dann wird Masao seinen Platz bei Matsumoto Industries einnehmen.«

Eines Nachmittags, kurz bevor Kunio Hidaka nach Amerika zurückkehrte, wandte er sich an Yoneo Matsumoto und sagte: »Bald müssen Sie Masao einmal in die Vereinigten Staaten mitbringen.«

Masaos Vater nickte. »Das habe ich vor. Wenn mein Sohn achtzehn ist, werde ich Sie mit ihm zusammen besuchen . . .«

Das war vor einem Jahr gewesen. Und jetzt, dachte Masao voller Bitterkeit, jetzt bin ich achtzehn, und ich werde zum erstenmal nach Amerika fahren, aber nur, um die Asche meiner Mutter und meines Vaters zu holen . . .

Er weinte.

Früh am nächsten Morgen gingen Masao, sein Onkel Teruo und Tante Sachiko an Bord des Firmen-Jet, und fünfzehn Minuten später hob das Flugzeug ab - nach New York. Normalerweise wäre Masao furchtbar aufgeregt gewesen und hätte sich gefreut, die Vereinigten Staaten zu sehen. Sein Vater hatte ihm so viel darüber erzählt. ». . . Es gibt große Städte dort, und Farmen und Wolkenkratzer und Ranches, und Berge und Seen. Es ist wie fünfzig kleine Europas, weißt du, Masao«, hatte sein Vater gesagt. »Jeder Staat ist wie ein Land für sich, und jeder ist anders als alle anderen.«

Aber jetzt, als Masao endlich unterwegs nach Amerika war, fühlte er keinerlei Erregung, nur ein tiefes Gefühl der Trauer und Verlorenheit. Er hatte keine Brüder oder Schwestern, niemanden, der ihm wirklich nahestand, mit dem er seinen Kummer teilen konnte. Er wußte, daß sein Leben nie wieder so sein würde wie vorher. Er schaute nach vorn, wo seine Tante und sein Onkel saßen, und er war dankbar für ihre Hilfe und ihr Mitgefühl. Wenigstens war er nicht ganz allein.

Als das Flugzeug auf dem John F. Kennedy Airport ausrollte, gingen sie durch den Zoll, und das war für Masao ein unglaubliches Erlebnis.

Das große Gebäude war voller Menschen, lauter Touristen und Amerikaner, die nach Hause kamen. Überall Menschen, und sie sprachen eine Sprache, die ihm fremd und geheimnisvoll erschien. Aber dann wurde ihm klar, daß sie Englisch sprachen! Das war ein Schock. Er hatte in der Schule Englisch gelernt, aber er verstand kein Wort von dem, was sie sagten. Sie ratterten die Worte herunter wie ein Maschinengewehr, und alles ging durcheinander. Wenn sie nur langsamer sprechen wollten!

Schließlich waren sie durch den Zoll und gingen hinaus. Neben dem Bürgersteig erwartete sie eine große Limousine der Firma. Der Chauffeur war ein riesiger, häßlicher Mann; er hieß Higashi und hatte den Körperbau eines Ringkämpfers.

Als ihr Gepäck im Kofferraum verstaut war, sah Teruo seinen Neffen an: »Wir werden aufs Land hinausfahren. Die Firma besitzt dort eine Jagdhütte an einem See, nicht weit von der Stelle, wo sich der Unfall ereignete. Morgen werde ich alle Vorkehrungen treffen, um die Überreste deiner Eltern zu bergen.«

Die Überreste deiner Eltern. Es klang so kalt und endgültig. Masao schauderte.

Higashi steuerte den Wagen durch das Labyrinth des riesigen Flughafens und fädelte sich auf den Highway nach Norden ein. Es war ein linder Frühlingsabend, und die Landschaft war wunderschön. Die Abendluft war sanft, und die Bäume prangten mit grünem Laub und bunten Blüten; aber all diese Schönheit machte Masao nur noch trauriger. Irgendwie schien es ihm falsch, daß das Leben weiterging, als wäre nichts geschehen; daß inmitten des Todes Blumen blühten und die Menschen lachten und fröhliche Lieder sangen. Masao war von einer tiefen, schwarzen Traurigkeit erfüllt.

Sie fuhren etwa zwei Stunden, über gewundene Bergstraßen, durch verschlafene Dörfer, an Äckern und Wäldern vorbei.

Sie kamen durch eine kleine Stadt, wo ein Schild verkündete: *Willkommen in Wellington,* und Teruo sagte: »Wir sind fast da.«

Fünfzehn Minuten später hatten sie ihr Ziel erreicht.

Die Jagdhütte der Firma diente dazu, wichtige Geschäftsfreunde gastlich zu bewirten. Es war ein zauberhaftes, vierstöckiges Chalet, mitten in den Bergen, mit Ausblick auf einen großen See.

»Ich fürchte, wir haben kein Personal hier oben«, sagte Teruo entschuldigend zu Masao. »Unser Besuch kam ganz unerwartet. Aber ich glaube, wir schaffen es auch allein für die paar Tage, oder?«

»Ja, Teruo-ojisan«, sagte Masao.

Higashi trug die Koffer ins Haus und zeigte Masao seine Zimmer im zweiten Stock. Es war ein geräumiges Apartment mit eigener Terrasse, von der aus man den See und die ganze Landschaft überblicken konnte. Im Schlafzimmer gab es einen riesigen offenen Kamin und schöne antike Möbel. Das Bett sah einladend und gemütlich aus.

Während Masao mit Auspacken beschäftigt war, kamen Teruo und Sachiko, um ihm gute Nacht zu sagen.

Teruo sagte: »Ich werde morgen alles Notwendige veranlassen, und übermorgen kehren wir wieder nach Tokyo zurück.«

»Danke dir, Teruo-ojisan.«

»Versuche, etwas zu schlafen.«

»Ja, Teruo-ojisan.«

Sachiko legte dem Jungen den Arm um die Schulter und flüsterte: »Deine Mutter und dein Vater würden sich wünschen, daß du tapfer bist.«

»Das will ich sein«, versprach Masao. Er mußte es sein. Um ihretwillen.

»Falls du etwas brauchst«, sagte Sachiko, »unser Schlafzimmer ist gleich über den Flur.«

Aber alles, was Masao brauchte, war Alleinsein, um seinem Vater und seiner Mutter nahe zu sein, um all die glücklichen Erinnerungen an sie auferstehen zu lassen. Er saß die ganze Nacht wach und ließ seine Gedanken in die Vergangenheit schweifen.

Er war in einem Boot und angelte mit seinem Vater. Es war ein warmer Tag, der Himmel war wolkenlos, und es wehte eine salzig duftende Brise; sein Vater erzählte ihm Geschichten aus seiner Jugend, wie er als Sohn einer armen Familie aufgewachsen war. Ich war entschlossen, Erfolg zu haben, Masao. Es ging mir nicht um Geld oder um Erfolg um des Erfolges willen. Ich wollte einfach, daß das, was ich tat, auch das Beste war, was ich tun konnte . . .

Er war in der warmen Küche, mit seiner Mutter, er sah zu, wie sie das Abendbrot vorbereitete. Er bat sie, ihm noch einmal diese Geschichte zu erzählen, die er so liebte, die über den Sturm. Nun ja, sagte sie, als du auf die Welt kamst, das war ein sehr kalter Winter, und wir hatten kein Geld, um Kohlen zu kaufen und die Wohnung zu heizen. Eines Abends gab es einen fürchterlichen Schneesturm. Du weintest in deiner Wiege, und wir legten eine Decke über dich. Es wurde noch kälter, und wir legten noch eine Decke über dich, und dann einen Teppich, und als es immer kälter wurde, legten wir immer mehr Sachen über dich, um dich warm zu halten. Mäntel und Decken und Kopfkissen. Es war ein Wunder, daß du nicht erstickt bist.

Er hörte das liebliche, klingelnde Lachen seiner Mutter, und seines Vaters tiefe, ernste Stimme, und sie blieben bei Masao die ganze Nacht.

Er würde sie nie wiedersehen, sie nie wieder anfassen und festhalten; aber er wußte, daß sie immer bei ihm bleiben würden.

Als der erste Schimmer von Morgengrau den Himmel erhellte, kam Sachiko in Masaos Schlafzimmer. Sie sah das unberührte Bett, sagte aber nichts. »Ich habe Frühstück für dich gemacht, Masao-chan.«

Masao schüttelte den Kopf. »Danke, Sachiko-obasan. Ich bin nicht hungrig.«

»Du mußt etwas essen. Damit du bei Kräften bleibst. Bitte.«

»Na gut. Ich will's versuchen.« Er folgte ihr hinunter in das große Speisezimmer, wo Teruo ihn am Tisch erwartete.

»Hast du ein wenig geschlafen, mein Neffe?«

»Ja, danke, Sir.«

Er hatte die ganze Nacht kein Auge zugetan.

Masao setzte sich, Tante Sachiko schenkte ihm Kaffee ein, und Masao mußte zu seiner Überraschung feststellen, daß er hungrig war wie ein Wolf. Er hatte Schuldgefühle, weil er es sich schmecken ließ, aber er konnte einfach nicht anders.

Teruo sagte: »Wir erwarten Besuch heute morgen.«

Masao blickte überrascht auf. »Besuch?«

»Tadao Watanabe.«

Der Name kam Masao bekannt vor – und plötzlich erinnerte er sich. Mr. Watanabe war der persönliche Rechtsanwalt seines Vaters.

»Warum kommt er hierher?« fragte Masao.

»Er bringt das Testament deines Vaters mit.« Er sah den Widerwillen in Masaos Gesicht. »Ich weiß, was du denkst. Aber Matsumoto Industries ist ein großes Wirtschafts-Imperium,

Masao. Da muß irgend jemand Chef sein. Wer, das wird deines Vaters Testament uns sagen.«

»Ja, natürlich.«

Masao versuchte zu begreifen. Aber sein Herz war nicht beim Matsumoto-Imperium. Es war bei dem Mann, der es gegründet und aufgebaut hatte, der so stolz darauf gewesen war.

Um elf Uhr kam Tadao Watanabe. Es war schwierig, sein Alter zu schätzen, denn er sah vertrocknet aus wie eine vor langer Zeit einbalsamierte Mumie. Der Anwalt bemühte sich, ein korrektes Benehmen an den Tag zu legen. Er sprach Masao sein Beileid aus und kam gleich zur Sache - die Eröffnung des Testaments. Die vier Personen versammelten sich in der Bibliothek. Watanabe setzte sich an den Schreibtisch, die anderen nahmen in komfortablen Sesseln Platz.

Watanabe begann, das Testament vorzulesen. Masao wußte, er sollte aufpassen, aber er war noch immer betäubt. Es war ihm egal, was in dem Testament stand. Die Stimme des Anwalts leierte immer weiter, und Masao fielen vor Erschöpfung die Augen zu. Der Anwalt schlug mit der flachen Hand auf die Tischplatte, und Masao wachte erschrocken auf.

»Das war es«, sagte Watanabe gerade. »Fassen wir noch einmal zusammen: Die Firma Matsumoto Industries, mit allen ihren Filialen und Fabriken, gehört Masao Matsumoto. Im Falle seines vorzeitigen Ablebens geht sie in den Besitz von Teruo Sato über.«

Masao war jetzt hellwach, überwältigt von dem, was er soeben gehört hatte. Eines der größten Industrie-Imperien der Welt sollte jetzt ihm gehören! Es war kaum zu glauben. Natürlich würde Onkel Teruo die Geschäfte führen und ihn unterweisen, bis er alt genug war, selbst die Kontrolle zu übernehmen. Aber trotzdem, es war überwältigend. Jetzt sagte Onkel

Teruo etwas zu ihm, und Masao mußte sich zusammenreißen, um nichts zu verpassen.

»Dein Vater hat eine weise Entscheidung getroffen«, sagte Teruo. »Du wirst sein Werk fortsetzen. In der Zwischenzeit werde ich alles tun, was in meiner Macht steht, um dir zu helfen und dich zu führen, Masao.«

Masao nickte dankbar. »Danke, Osijan. Ohne dich wäre ich verloren.«

Mr. Watanabe stand auf. »Nun, ich muß zurück in die Stadt. Ich werde das Testament sofort bestätigen lassen.«

Sachiko sah Masao sorgenvoll an. »Du siehst erschöpft aus«, sagte sie. »Willst du dich nicht ins Bett legen?«

»Ja, vielleicht.« Masao stand auf, ihm war ganz schwindlig vor Übermüdung und Anspannung. Er sagte dem Rechtsanwalt auf Wiedersehen und ging in sein Zimmer hinauf. Zu müde, sich auszuziehen, warf er sich auf das Bett.

Er schlief sofort ein.

Es war dunkel, als Masao die Augen aufschlug. Ich habe einen ganzen Tag verschlafen, dachte er. Er hatte seinem Onkel helfen wollen, die Vorbereitungen für das Begräbnis zu treffen, aber jetzt war es zu spät. Er mußte sich wenigstens bei dem Onkel entschuldigen. Masao kletterte steifbeinig aus dem Bett und trat auf den Flur. Halb im Schlaf ging er die Treppe hinunter. Morgen würden sie nach Tokyo zurückkehren. Wenn seine Freunde ihn ausfragten, wie es in Amerika sei, würde Masao nur erzählen können, daß er einen Flughafen, ein Haus und einen See gesehen hatte. Na ja, eines Tages, wenn er Chef von Matsumoto Industries war, würde er wiederkommen und Amerika richtig kennenlernen - wie sein Vater es gewünscht hatte.

Masao hörte Stimmen aus der Bibliothek und näherte sich. Er hörte seinen Onkel und seine Tante, die mit erhobener

Stimme sprachen. Masao wollte gerade eintreten, als er seinen Namen hörte. Er blieb stehen, weil er nicht ausgerechnet in diesem Moment hereinplatzen wollte. Die Tante sagte etwas, das Masao nicht verstand, und dann rief sein Onkel wütend aus: »Es ist einfach unfair! Ich habe mitgeholfen, diese Firma aufzubauen. Ich habe Jahre meines Lebens dafür geopfert. Ich hätte verdient, sie zu erben.«

»Yoneo war immer sehr großzügig zu dir, Teruo. Er . . .«

»Dein Bruder hat mich nie leiden können. Nie! Hätte er es getan, dann hätte er niemals Masao zum Erben eingesetzt.«

»Masao ist sein Sohn.«

»Er ist noch ein Kind. Wie könnte er eine Firma leiten?«

»Jetzt natürlich noch nicht. Aber eines Tages. Mit deiner Hilfe könnte er . . .«

»Sei nicht so dumm, Sachiko. Warum sollte ich Masao helfen, damit er mir die Firma wegnehmen kann? Nein. Es ist einfach ungerecht.«

»Aber das Problem . . .«

»Da gibt's kein Problem.«

Zweites Kapitel

Entsetzt stand Masao draußen vor der Bibliothek. Er konnte nicht glauben, was er eben gehört hatte. Plante sein Onkel etwa, ihn aus dem Weg zu räumen? Einen Augenblick dachte Masao daran, hineinzulaufen und seinem Onkel gegenüberzutreten. Aber dann dachte er an Higashi, den riesigen Chauffeur, und wie sein Onkel gesagt hatte: *Wir haben kein Personal hier oben. Unser Besuch kam ganz unerwartet.* Aber in einem Haus wie diesem gab es doch das ganze Jahr hindurch Personal! fiel Masao ein. Sein Onkel hatte die Leute also fortgeschickt; er mußte von dem Testament gewußt haben. Und er hatte es so eingerichtet, daß Masao ihm hier allein ausgeliefert war. Der riesige Higashi war ein Teil dieses Plans . . .

Masaos Herz klopfte so laut, daß er fürchtete, die Tante und der Onkel könnten es hören. Leise schlich er sich von der Tür zur Bibliothek fort und eilte lautlos in sein Schlafzimmer hinauf. Er mußte nachdenken. Er durfte nicht hysterisch werden. Aber war er nicht das einzige Hindernis, das Onkel Teruo vom Besitz des großen Matsumoto-Imperiums trennte? Und sein Onkel bildete sich ein, er sei um diesen Besitz betrogen worden. Masao wußte, daß es nicht so war. Sein Vater war es, der die Firma gegründet und aufgebaut hatte. Er hatte seinen Schwager nur wegen Sachiko ins Geschäft genommen, und er hatte Teruo immer sehr gut behandelt. Und jetzt - plante Teruo, Masao zu ermorden?

Masaos Gedanken rasten. Wie konnte der Onkel ihn umbringen? Natürlich, es mußte wie ein Unfall oder noch besser wie ein Selbstmord aussehen. Und das Motiv für den Selbstmord lag auf der Hand. Masao hörte direkt, wie sein Onkel der Polizei erklärte: *Der arme Junge war so verzweifelt über den tragischen Tod seiner Eltern, daß er seinem Leben ein Ende setzte.*

Masao schaute über die Brüstung auf den dunklen, unheimlichen See hinunter, und plötzlich sah er alles vor sich. Sein Onkel würde ihn ertränken. Er würde ihn auf den See hinauslocken, in einem der Boote, die zu der Hütte gehörten, und dann würden er und Higashi . . .

Teruo hatte gesagt, sie würden am nächsten Morgen nach Japan zurückkehren. Das bedeutete, daß der Mord noch in dieser Nacht geschehen mußte. Er mußte verschwinden, und zwar rasch verschwinden. Aber wohin? An wen konnte er sich wenden? Er hatte kein Geld, und er kannte keine Menschenseele in den Vereinigten Staaten. Er war sich nicht einmal sicher, ob er überhaupt die Sprache verstand. Er mußte an die Szene auf dem Kennedy Airport denken, wo er kein Wort kapiert hatte von dem, was die Leute sagten.

Darüber kann ich mir später Sorgen machen, beschloß Masao. Die Hauptsache war jetzt, von hier zu verschwinden und Hilfe zu finden. Die Jagdhütte lag einsam, hoch in den Bergen, und er hatte keine anderen Häuser in der Nähe gesehen - keines, wo er anklopfen konnte. Plötzlich erinnerte sich Masao an die kleine Stadt, durch die sie auf der Fahrt hierher gekommen waren. Der Name blitzte vor seinem inneren Auge auf - *Wellington.* Dort mußte es ein Polizeirevier geben. Dort konnte er hingehen und erzählen, was sein Onkel vorhatte. Die Polizei würde ihn beschützen.

Aber zuerst mußte er von hier flüchten. Leise schlich sich Masao zur Schlafzimmertür und lauschte. Er hörte nichts. Er machte die Tür auf. Auf dem Flur war niemand. Er mußte aufpassen, daß er nicht mit Higashi zusammenstieß. Schaudernd erinnerte er sich an dessen gewaltige Arme.

Auf Zehenspitzen schlich Masao die Treppe hinunter, Schritt für Schritt, ängstlich bedacht, kein Geräusch zu machen. Er hörte noch immer Stimmen aus der Bibliothek. Aber jetzt waren es drei Stimmen. Teruo hatte Higashi hereingerufen. Masao brauchte gar nicht zu lauschen, um zu wissen, worüber sie sprachen. Er wandte sich in die andere Richtung, zur Küche. Die Tür war nicht verschlossen. Einen Augenblick später war er draußen im Park - in Sicherheit. Aber jetzt hieß es rennen, rennen ums nackte Leben.

Er lief durch die riesige Gartenpforte und bog auf die Straße ein, die zu der kleinen Stadt führte. Er blieb einen Moment stehen und horchte, ob im Haus Alarmzeichen laut wurden, aber es geschah nichts. Sie wußten noch nicht, daß er fort war.

Masao machte sich auf den langen Weg nach Wellington, immer bereit, sich zu verstecken, sobald er ein Auto kommen hörte. Aber die einzigen Laute, die er hörte, waren die Geräusche der Nacht: Die Grillen und Frösche und Heuschrecken, und das Seufzen des Windes in den Bäumen.

Masao fragte sich, was jetzt wohl droben in der Jagdhütte passierte. Vielleicht waren sie mit ihrer Beratung fertig. Sie würden einen Schock kriegen, wenn sie sahen, daß er verschwunden war und daß sie verloren hatten. Masao hatte im Fernsehen viele amerikanische Filme gesehen, und er wußte, wie tüchtig die Polizei war. Sie würde mit Teruo Sato fertig werden und ihn bestrafen.

Masao brauchte beinahe eine Stunde bis in die kleine Stadt. Wellington sah eigentlich eher wie ein Dorf aus. Es hatte einen kleinen Supermarkt, eine Gemüsehandlung, eine Wäscherei und ein Drug Store - alles nebeneinander an der Hauptstraße gelegen. Überall war geschlossen. Masao lief weiter, bis er ein kleines rotes Ziegelgebäude erreichte, an dem *Polizeirevier* stand.

Masaos Herz machte einen Luftsprung. Er hatte es geschafft. Er rannte die Treppe hinauf und fand sich in einer großen Schalterhalle wieder. Es roch nach altem Staub und Schimmel. Ein Polizist saß an seinem Schreibtisch und schrieb.

Als der Junge eintrat, blickte er auf.

»N'abendwaskannichfürdichtun?«

Die Wörter gingen alle ineinander über und ergaben für Masao keinen Sinn. Er starrte den Polizisten verständnislos an.

»Waskannichfürdichtun?« Die Stimme des Polizisten klang ungeduldig.

Masao schluckte und sagte langsam: »Bitte, Sir, sprechen Sie nicht so schnell . . .«

Der Polizist nickte. »Okay. Was hast du für ein Problem?« Er sprach jetzt ganz langsam, und Masao verstand ihn.

»Mein Leben ist in Gefahr.«

Der Polizist murmelte irgend etwas, das sich anhörte wie: *Alle Leute an die Wand,* aber Masao wußte, das konnte nicht gemeint sein. Er beobachtete, wie der Polizist den Telefonhörer nahm und kurz in die Muschel sprach. Dann legte er auf und drehte sich zu Masao um. Ganz langsam sagte er: »Geh den Korridor hinunter, die erste Tür rechts. Der Lieutenant erwartet dich.«

Und auf einmal kapierte Masao, was er vorhin gesagt hatte: *Ich hol mal den Lieutenant.*

»Vielen Dank«, sagte Masao erleichtert. Er lief den Korridor hinunter. An der ersten Tür klopfte er und trat ein. Da saß ein grauhaariger Mann am Schreibtisch und füllte ein Formular aus. Er hatte ein zerknittertes Gesicht und trug einen zerknitterten Anzug. Er hatte den gehetzten Gesichtsausdruck eines Mannes, der dauernd überarbeitet ist.

»Nimmplatz«, sagte er ohne aufzublicken. Masao stand da wie bestellt und nicht abgeholt.

Der große Mann hob die Augen. »Verstehst du Englisch?«

»Ein bißchen, Sir.«

»Na«, sagte der Lieutenant. »Nimm Platz.«

Masao setzte sich. Er wußte, er konnte diese Amerikaner nur verstehen, wenn sie ganz langsam sprachen und nicht dauernd die Wörter aneinanderhängten.

Nach ein paar Minuten schob der Mann seine Papiere beiseite und betrachtete den Jungen aufmerksam. »Na also. Ich bin Lieutenant Matt Brannigan. Was hast du für ein Problem, mein Sohn?«

»Ich . . .« Masao wußte nicht, wo er anfangen sollte. Da war so vieles, was er erzählen mußte. »Es war ein Unfall. Mein Onkel versucht mich umzubringen.« Nein, das klang nicht richtig.

Er fing noch mal von vorne an. »Meine Eltern wurden bei einem Flugzeugunglück getötet. Ich erbte die Firma meines Vaters. Mein Onkel versucht, sie mir wegzunehmen. Und dazu muß er mich töten.« Jetzt sprudelten die Wörter wie ein Wasserfall: »Der Chauffeur wird ihm helfen. Sie haben den Plan, mich im See zu ertränken, damit es wie Selbstmord aussieht. Sie . . .«

Der Detektiv hob die Hand. »Halt mal, einen Augenblick! Fang noch mal von vorne an. Ich hab kein Wort verstanden.«

Und jetzt wurde Masao klar, daß es wieder die Sprachbarriere war, diesmal andersherum. Er zwang sich, ganz langsam und deutlich zu sprechen: »Ich brauche Ihre Hilfe. Mein Onkel versucht, mich zu töten.«

»Ich verstehe. Hat er dich bedroht?«

»Nein, aber ich habe gehört, wie er davon sprach. Er plant, mich zu ertränken, damit es wie ein Unfall aussieht.«

»Hörtest du, wie er das sagte?«

»Nein. Nicht direkt. Er . . .«

»Er sagte also nicht, daß er dich ertränken will?«

»Das sagte er nicht, aber ich weiß, daß er es vorhat.« Vor Aufregung fing Masao wieder an, schneller zu sprechen.

»Langsam«, sagte Lieutenant Brannigan. »Stellen wir einmal klar: Du glaubst, dein Onkel hat vor, dich zu töten, aber das hat er nicht gesagt.«

»Nicht direkt, Sir.«

»Was hat er denn wirklich gesagt?«

»Daß ich ihm im Wege bin.«

Der Detektiv musterte ihn. »Hat er das zu dir gesagt?«

»Nein. Zu meiner Tante, und danach sprach er mit dem Chauffeur.«

»Was sagte er zu dem Chauffeur?«

Masao zögerte. »Ich . . . ich weiß nicht.«

»Du hast das Gespräch nicht belauscht?«

»Nein, Sir. Aber ich weiß, sie sprachen darüber, mich zu ermorden. Darum bin ich weggelaufen.«

»Von wo bist du weggelaufen?«

»Von dem französischen Chalet dort oben, nördlich von hier.«

»Und dort ist dein Onkel jetzt?«

»Ja, Sir. Mit meiner Tante und Higashi, dem Chauffeur. Ich glaube nicht, daß er wirklich ein Chauffeur ist. Ich glaube, mein Onkel hat ihn angeheuert, damit er mich umbringt.«

»Du *glaubst*.«

»Ja, Sir.«

»Das ist eine sehr schwere Beschuldigung, die du aussprichst.«

»Ja, Sir. Ich brauche Schutz.«

»Wie alt bist du?«

Masao fand, das war eine seltsame Frage. »Achtzehn, Sir.«

Der Polizist nickte, als hätte die Antwort ihm eine Frage beantwortet. Er stand auf. »Na gut. Ich glaube, ich kann dir helfen. Wie heißt dein Onkel?«

»Sato. Teruo Sato.«

Der Detektiv schrieb irgend etwas auf einen Zettel. »Warte hier. Ich bin gleich wieder da. Möchtest du Kaffee?«

»Nein, Sir.« Masao wünschte sich nichts anderes, als daß dieser Alptraum zu Ende ging.

Lieutenant Brannigan blieb zehn Minuten fort, und als er wiederkam, sagte er: »Du brauchst dir keine Sorgen machen. Jetzt geht alles in Ordnung.«

Masao hatte auf einmal ein übermütiges Gefühl der Erleichterung. »Vielen, vielen Dank, Lieutenant. Und wenn Sie mir noch ein Flugticket nach Tokyo besorgen könnten. Ich werde auch dafür sorgen, daß Sie sofort ihr Geld zurückbekommen, sobald ich zu Hause bin.«

»Das wird nicht nötig sein«, sagte Lieutenant Brannigan. »Wir haben für solche Fälle eine Notkasse.«

»Was passiert mit meinem Onkel? Wird er gleich ins Gefängnis gesteckt?«

»Wir werden schon auf ihn aufpassen. Zuerst muß ein Prozeß stattfinden, weißt du.«

Das war Masao klar. Er hatte Perry Mason im Fernsehen gesehen. Das Gesetz war in Amerika mächtig. Masao wußte, daß er sich keine Sorgen zu machen brauchte. Er war in Sicherheit.

»Ja, Sir«, sagte Masao. »Ich weiß.«

Draußen auf dem Korridor wurden plötzlich Stimmen laut. Die Tür ging auf, und Teruo und Higashi stürzten in das Büro. Masao starrte sie ungläubig an.

Teruo sagte: »Masao! Deine Tante und ich haben uns solche Sorgen um dich gemacht! Wir dachten schon, dir sei etwas Furchtbares zugestoßen.« Er wandte sich an Lieutenant Brannigan: »Ich bin Ihnen dankbar, Lieutenant, daß Sie mich angerufen haben.«

27

Der Polizist hatte Masao also hereingelegt. Er hatte ihm seine Story nicht geglaubt. Er hatte ihn an der Nase herumgeführt und nur so getan, als stünde er auf seiner Seite.

Ich muß wahnsinnig gewesen sein, anzunehmen, daß er mir glauben würde, dachte Masao. Teruo ist ein angesehener Geschäftsmann, Direktor einer bedeutenden Firma, und ich beschuldige ihn des versuchten Mordes. Nicht einmal Perry Mason hätte mir meine Story geglaubt.

Lieutenant Brannigan sagte: »Wir haben jeden Monat ein Dutzend von solchen Ausreißern. Schwere Zeiten heute für die jungen Leute.«

Teruo nickte verständnisvoll. »Ich weiß. Und Masao leidet noch unter dem Schock. Hat er ihnen vom Tod seiner Eltern erzählt?«

Lieutenant Brannigan nickte. »Yeah. Und er hat mir eine ganz wilde Geschichte erzählt, von einem Chauffeur, der ihn umbringen und ersäufen will.«

Teruo warf Masao einen betrübten Blick zu. »Armer Junge. Er braucht einen Arzt. Ich will ihn sofort hinbringen.« Er trat auf Masao zu.

»Faß mich nicht an!« Masaos Augen waren vor Angst geweitet. Er drehte sich zu Lieutenant Brannigan um. »Bitte, Lieutenant! Sie werden mich umbringen.«

Der Detektiv schüttelte den Kopf. »Niemand wird dich umbringen. Dein Onkel will nur auf dich aufpassen. Du wirst sehen, jetzt wird alles gut. Fahr nur mit nach Hause, wo du hingehörst.«

Der riesige Chauffeur kam heran und packte Masaos Arm. »Komm jetzt«, befahl Higashi.

Masao machte einen letzten Versuch. »Lieutenant«, bettelte er, »erlauben Sie nicht, daß sie mich mitnehmen. Schicken Sie mich nach Japan zurück.«

»Wir werden dich nach Japan zurückbringen«, sagte Teruo

beschwichtigend, »wo du gute Pflege finden wirst.« Er schaute dem Lieutenant in die Augen: »Ich danke Ihnen für Ihre Hilfe.«

»Bitte, gern geschehen. Ich hoffe, dem Jungen geht's bald wieder gut.«

»Ich werde schon auf ihn aufpassen«, sagte Teruo.

Matt Brannigan schaute den beiden Männern nach, die Masao aus dem Büro führten. Der Junge tat ihm leid. Sieht ordentlich aus, der Bursche. Scheint auch ganz normal zu sein, außer dieser Wahnidee, daß sein Onkel ihn umbringen will. Das sieht man doch auf den ersten Blick, daß Mr. Sato ein angesehener Geschäftsmann ist. Der Bursche hat wahrscheinlich Drogen geschluckt. Vielleicht LSD oder Hasch. Der Onkel ist nicht zu beneiden.

Draußen führten Teruo und Higashi Masao zur Limousine. Higashis riesige Hand preßte Masaos Arm, daß es schmerzte. Keine Chance, sich zu befreien.

»Du solltest dich schämen, uns so etwas anzutun«, sagte Teruo wütend.

Masao wurde auf den Vordersitz gestoßen, zwischen Higashi und seinen Onkel. In Masaos Kopf überstürzten sich die Gedanken. Er würde sich nicht einfach umbringen lassen. In dem Augenblick, wo das Auto vor der Jagdhütte anhielt, würde er ausbrechen. Er konnte den beiden mit Leichtigkeit davonlaufen. Sie würden ihn nie einholen, wenn er . . .

Plötzlich spürte Masao einen scharfen Stich an seinem Arm und schaute hinunter. Sein Onkel steckte rasch eine Spritze weg.

»Was hast du getan?« fragte Masao ängstlich.

»Ich hab dir ein kleines Mittel gegeben, zur Beruhigung«, sagte Teruo beschwichtigend. »Du bist krank, Masao. Ich mache mir echte Sorgen um dich. Echte Sorgen, wirklich. Deine Tante und ich, wir haben vorhin darüber gesprochen. Wir hatten Angst, du könntest Dummheiten machen . . .«

Auf einmal schienen die Worte wie aus weiter Ferne zu kommen, und das Gesicht des Onkels verschwamm vor Masaos Augen. Sein Kopf wurde immer schwerer. Sie hatten ihn hereingelegt. Ihn unter Drogen gesetzt. Sie gaben ihm keine Chance, zu entkommen. Sie würden ihn ermorden, während er bewußtlos war.

»Du . . .« aber seine Zunge war schwer, und er konnte kein Wort mehr hervorbringen. Masao fielen die Augen zu.

Dann war nichts mehr.

Drittes Kapitel

Langsam wurde Masao wach und schlug die Augen auf. Er war in einem fremden Zimmer. Sein Kopf war schwer und pochte vor Schmerz. Er hatte keine Ahnung, wie lange er bewußtlos gewesen war. Er blieb ganz ruhig liegen und zwang sich, nicht in Panik zu geraten. Er versuchte sich zu erinnern, wie er hierhergeraten war. Er hatte mit dem Polizisten gesprochen, mit Lieutenant Brannigan; sein Onkel und Higashi waren gekommen und hatten ihn ins Auto gezerrt; sie hatten ihm eine Betäubungsspritze verpaßt. Und dann? Masao setzte sich auf dem schmalen Bett auf, und in seinem Kopf begann alles zu kreisen. Er wartete, bis er wieder klar wurde. Vorsichtig stand er auf und schaute sich um, untersuchte das Zimmer. Es hatte keine Fenster, und nach der schrägen Decke zu urteilen, befand er sich auf dem Dachboden der Jagdhütte. Er ging zu der schweren Eichentür und rüttelte an der Klinke. Die Tür war von außen verschlossen. Es gab keinen Ausweg. Und nun merkte Masao auch, daß er nur eine Turnhose und ein T-Shirt anhatte. Sie hatten ihm seine Kleider weggenommen!

So kann ich nirgends hingehen, dachte Masao. Dann kam ihm ein neuer Gedanke, und ein kaltes Frösteln überlief ihn. Seine Kleider lagen wahrscheinlich in einem ordentlichen Häufchen am Ufer des Sees, wo die Polizei sie finden würde - zusammen mit einem gefälschten Abschiedsbrief. Teruo überließ nichts dem Zufall. *Mein armer Neffe, er konnte sich nicht mit dem Tod seiner Eltern abfinden . . .*

Masaos Gedanken wurden durch ein Geräusch draußen auf dem Korridor unterbrochen. Irgend jemand näherte sich. Es war bestimmt Higashi, der kam, um ihn zu holen, und Masao wußte, er hatte keine Chance gegen den riesigen, starken Mann. Er sah sich nach einer Waffe um, irgend etwas, womit er sich verteidigen könnte, aber er fand nichts. Er fragte sich, wieviel Teruo dem Chauffeur wohl bezahlte, dafür, daß er ihn umbrachte. Wahrscheinlich ein Vermögen. Aber das war ja eine Kleinigkeit für Teruo. Wenn Masao tot war, würde Teruo unermeßlich reich sein. Die Schritte kamen näher. Masao hörte einen Schlüssel im Schloß drehen und sah, wie die Tür aufschwang. Higashi trat ein. Einen Augenblick dachte Masao daran, sich auf ihn zu stürzen, aber der Chauffeur war viel größer als er und mindestens hundert Pfund schwerer.

»Komm«, knurrte Higashi. »Wir wollen eine kleine Bootsfahrt machen.«

Also hatte er recht gehabt. Mit allem. Und er hatte genau erraten, was sein Onkel plante. Sie würden ihn mitten im See ins Wasser werfen, in die bodenlose Tiefe. Vielleicht wurde sein Leichnam niemals gefunden.

Higashi trat auf ihn zu und packte seinen Arm. Ein Griff wie ein Schraubstock. »Geh'n wir.«

Higashi führte den Jungen über den verlassenen Korridor. Sie befanden sich im vierten Stock, unter dem Dach der Jagdhütte. Higashis Finger waren hart wie Stahl, sie drückten sich in Masaos Arm, daß es schmerzte.

»Hören Sie«, sagte Masao verzweifelt. »Wenn Sie mich laufen lassen, will ich Ihnen mehr bezahlen als mein Onkel. Wenn ich wieder in Tokyo bin . . .«

»Schnauze«, knurrte Higashi.

»Ich kann . . .«

Higashi packte noch fester zu und stieß den Jungen vor sich her die Treppe hinunter.

Jetzt waren sie im dritten Stock angelangt, und über die Brüstung des Balkons sah Masao in der Ferne den See. Er erschien plötzlich so finster und bedrohlich. In wenigen Minuten, dachte Masao, würde er ein Teil dieses Wassers sein, ertrunken, für immer verloren. Nein, er konnte es nicht zulassen!

Die Zweige einer hohen schlanken Tanne streiften das Balkongeländer, und als Masao das sah, packte ihn eine wilde, verzweifelte Hoffnung. Es gab eine Chance! Es war eine verzweifelt kleine Chance, aber sie war alles, was er hatte. Wenn es mißlang, mußte er sterben. Aber sterben mußte er sowieso.

Masaos Herz schlug schneller. Er wartete, bis sie sich gegenüber dem Balkon befanden, dann tat er so, als würde er stolpern. Als er stürzte, bückte sich Higashi ganz automatisch, um ihn hochzureißen. In diesem Moment stemmte sich Masao mit aller Macht gegen ihn, der eiserne Griff lockerte sich, und Masao sprang auf und rannte auf den Balkon. Er spähte hinunter und sah, zehn Meter unter sich, festen Boden. Falls er stürzte, würde er auf der Stelle tot sein. Aber er hatte keine Wahl. Der Baum war der einzige Weg in die Sicherheit.

Er streckte die Hand aus und packte einen Ast der Tanne. Seine Finger glitten ab, und dann fand er festen Halt und schwang sich zum Stamm hinüber.

In diesem Augenblick spürte er, wie jemand ihn von hinten am Fuß packte und zurückriß. Masao strampelte, aber es hatte keinen Zweck. Higashis mächtiger Arm schlang sich um seinen Hals und würgte ihn. Mit einer letzten Kraftanstrengung warf sich Masao herum und entschlüpfte dem Griff. Keuchend rang er nach Luft. Aber der Chauffeur war schon wieder über ihm, das Gesicht vor Wut verzerrt.

»Dann werd ich dich eben hier umbringen«, zischte er.

Er breitete die Arme aus und tappte vorwärts, um Masao zu packen und zu erdrücken. Masao wich immer wieder aus. Er wußte, diese Arme waren stark genug, ihm das Genick zu brechen. Langsam glitt er nach rechts, weg von dem Baum, und als Higashi ihm folgte, hechtete Masao plötzlich in die entgegengesetzte Richtung, sprang auf die Brüstung und packte erneut den Tannenzweig. Es war sinnlos. Higashi war sofort wieder da, packte ihn wie ein Wilder und riß ihn zurück. Masao spürte, wie seine Finger von dem Ast abglitten. Jetzt war alles aus. Auch Higashi wußte es. Er hatte gesiegt. Aber im Eifer, sein Werk zu vollenden, sprang Higashi auf die Brüstung, neben Masao, um ihn besser packen zu können. Die Brüstung hielt das Gewicht des riesigen Mannes nicht aus und brach plötzlich unter seinen Füßen weg. Masao klammerte sich an den Ast und sah voll Entsetzen, wie Higashis Körper wirbelnd in die Tiefe stürzte. Higashi stieß einen schrillen Schrei aus, dann schlug er auf und lag reglos, den Kopf in unnatürlichem Winkel verrenkt.

Masao hielt inne. Verzweifelt klammerte er sich an den Ast und tat einen tiefen Atemzug, um sich zu beruhigen. Zwischen ihm und dem Grund in der Tiefe war - nichts. Ein Ausrutscher, und er war tot wie Higashi. Langsam und vorsichtig umfaßte Masao den Baumstamm und begann hinabzuklettern, immer Ast um Ast, obwohl alles in ihm zur Eile drängte. Sein Onkel konnte Higashis Schrei gehört haben und jede Sekunde auftauchen. Er war eine hilflose Zielscheibe, wie er da zwischen Himmel und Erde hing. Aber Masao zwang sich, vorsichtig weiterzuklettern. Jeden Ast prüfte er, bevor er sich ihm anvertraute. Endlich, es schien Jahrhunderte zu dauern, war der Boden nicht mehr weit, und er sprang ab. Dann lag er im Gras, unfähig, sich zu bewegen, nach Atem ringend. Jeder Muskel seines Körpers schmerzte. Am liebsten wäre er für immer auf der kühlen Erde liegengeblieben. Aber er wußte, er mußte fort, und zwar rasch.

Aber wohin? Er wußte nicht, wohin er gehen sollte. Zu Lieutenant Brannigan konnte er nicht zurück. Der würde nur wieder seinen Onkel anrufen, damit er kam und ihn holte. Und jetzt war da ein Toter. Sie würden *ihm* die Schuld geben.

Masao stand in der Dunkelheit, fröstelnd in seinem Unterhemd, und dachte nach. Er hatte kein Geld und keine Kleider, und sein Leben war in Gefahr. Plötzlich flammte oben im Haus ein Licht auf. Masao drehte sich um und rannte blindlings hinaus auf die Straße - nach nirgendwo.

Am Himmel stand ein strahlend heller Vollmond, und Masao nutzte sein Licht, um sich am Rand der Straße zu halten. Er fragte sich, was droben in der Hütte passiert sein mochte. Hatte Teruo bereits Higashis Leiche entdeckt? Suchte er schon nach Masao? Wie eine Antwort auf seine Fragen hörte er ein Auto brummen. Rasch suchte Masao hinter den Büschen Deckung. Eine Sekunde später rollte die vertraute Limousine langsam um die Kurve. Am Steuer saß Teruo; seine Augen suchten den Randstreifen zu beiden Seiten der Straße ab. Masao duckte sich tiefer ins Gebüsch und wartete, bis das Auto vorbei war. Erst als er das Surren des Motors nicht mehr hörte, verließ Masao sein Versteck und lief auf der Straße weiter. Zehn Minuten später hörte er das Motorengeräusch sich wieder nähern und sprang erneut in Deckung. Er beobachtete, wie sein Onkel in Richtung der Jagdhütte verschwand. Vielleicht glaubte er, daß Masao sich noch irgendwo im Park versteckte. Der Junge beschleunigte seine Schritte.

Als Masao das Städtchen Wellington erreichte, machte er einen Umweg, damit niemand ihn entdeckte. Den Fehler, zur Polizei zu gehen, würde er nicht wiederholen. Zum hundertstenmal überlegte er, *wohin* er gehen sollte. Das war schlimmer, als verirrt zu sein: er hatte überhaupt kein Ziel.

Der Kampf mit Higashi hatte ihn erschöpft, und Masao brauchte dringend eine Verschnaufpause. Aber er wußte, er mußte weiterlaufen. Wenn er eine Pause machte, konnten sie ihn erwischen, und er wußte, was das bedeutete. Es bedeutete den Tod. Also zwang er sich, weiterzulaufen, die ganze Nacht hindurch, immer einen Schritt nach dem anderen. Und jeder Schritt trug ihn weiter von seinem Onkel weg, entfernte ihn von der Gefahr.

Das lodernde Feuer, das Masao die Kraft gab weiterzulaufen, war seine Wut auf Teruo. Dem Onkel war es ganz egal, ob die Eltern ein angemessenes Begräbnis bekamen. Es ging ihm nur darum, die Firma an sich zu reißen, die Masao gehörte. Aber Masao war entschlossen, seinen Eltern das Begräbnis zu verschaffen, das sie verdienten. Irgendwie würde er ihre Asche nach Japan zurückbringen. Er wußte nicht, wie er es schaffen sollte. Er wußte nur, er würde es schaffen - oder sterben.

Die Nachtluft war kühl, und Masao begann in seinem T-Shirt zu frösteln. Es gab keine Möglichkeit, sich Kleider zu besorgen; keine Möglichkeit, sich aufzuwärmen. Er lief an verschlafenen Farmhäusern vorbei und dachte neidisch an die Menschen, die dort drinnen warm und gemütlich schliefen. Er fragte sich, wie lange er so weiterlaufen konnte. Die Zukunft lag finster vor ihm. Selbst wenn er jemanden fand, dem er seine Geschichte erzählen konnte, stand doch sein Wort gegen das Wort seines Onkels, und sein Onkel war ein Mann von hoher Stellung und großer Wichtigkeit. Sein Onkel hatte - wie sagte man gleich in Amerika? - *Prestige.* Lieutenant Brannigan hatte Masao nicht geglaubt. Niemand würde ihm glauben. Masao fühlte sich in einem Alptraum gefangen, aus dem es keinen Ausweg gab.

Ganz früh am nächsten Morgen fand sich Masao am Rand eines kleinen Städtchens wieder. Auf der Hauptstraße drängte sich eine Menschenmenge, und einen schrecklichen Augenblick dachte Masao, sie wären hinter ihm her. Aber die Menschen unterhielten sich nur und lachten. Irgendwie herrschte eine festliche Stimmung. Neugierig schlich sich Masao näher und blieb am Rand der Straße in Deckung, um zu beobachten, was da vor sich ging.

Es waren mindestens zwei Dutzend Männer, alle in Turnhose und T-Shirt gekleidet - genau wie er. Sie standen auf der Mitte der Straße, und andere Leute, alle in normaler Kleidung, drängten sich herbei. Verwundert starrte Masao hinüber, unfähig, sich vorzustellen, was da los sein mochte. Jetzt schob sich ein Mann durch die Menge und band den Männern Nummernschilder am Rücken fest - und jetzt begriff Masao endlich. Es war ein Volkslauf! Einen Moment hatte Masao Lust, mitzumachen. Er war genauso gekleidet wie die anderen, und es wäre eine perfekte Tarnung. Aber er wußte, daß er zu müde war. Er war völlig ausgepumpt, seelisch wie körperlich. Er war die ganze Nacht gelaufen und hatte einfach keine Kraft mehr. Er beschloß also zu warten, bis die Menschenmenge sich verlaufen hatte. Dann wollte er weitermarschieren.

Aber im gleichen Moment passierte etwas, das Masao zwang, es sich anders zu überlegen. Dort hinten, auf der Straße, kam die Limousine seines Onkels herangeschlichen. Die Flucht war doch nicht geglückt! Jeden Augenblick konnte er entdeckt werden!

Mit einem Sprung schlüpfte Masao zwischen die Gruppe der Männer in Turnhosen und Unterhemden.

Der Funktionär, der die Nummern verteilte, schaute Masao scharf an und sagte: »Beinah wärst du zu spät gekommen. Wir sind längst startbereit.«

Im nächsten Moment hatte auch Masao eine Nummer auf dem Rücken. Die Läufer nahmen Aufstellung, bereit für den Startschuß. Masao schob sich noch mehr in die Mitte, um sich zu verstecken. Er hatte gar nicht die Absicht, sich an dem Rennen zu beteiligen. Er wollte nur in der Menge Schutz suchen, bis sein Onkel fort war. Aber als der Starter jetzt die Pistole in die Luft hob, um das Startzeichen zu geben, sah Masao die schwarze Limousine direkt auf die Gruppe der Läufer zufahren. Dann kam der scharfe Knall der Pistole, und Masao rannte mit den anderen los - immer schön in der Mitte.

Als die Limousine an den Läufern vorbeischnurrte, zog Masao den Kopf ein. Langsam rollte die Limousine weiter. Masao war noch erschöpft von der langen Nacht, aber er hatte Angst, aus dem Feld der Läufer auszuscheren, weil sein Onkel jeden Moment zurückkehren konnte. Seine einzige Sicherheit bestand darin, die anderen als Tarnung zu benutzen. Und so machte sich Masao auf einen langen Wettlauf gefaßt. Er lief mit weit ausgreifenden, leichten Schritten, und weil er jung und kräftig war, fand er bald den richtigen Rhythmus. Dann begann er sich die anderen Konkurrenten anzusehen. Manche waren älter als er, aber viele waren ungefähr in seinem Alter. Masao fragte sich, was wohl der Anlaß dieses Laufes sein mochte, ob er jedes Jahr veranstaltet wurde und was hinterher passieren würde. Aber das alles war jetzt unwichtig. Das einzig Wichtige war: solange er mit den anderen lief, als einer unter vielen, war er in Sicherheit. Die anderen waren sein Schutz und seine Deckung.

Allmählich spürte er seine alte Kraft wieder, und seine Beine liefen wie von selbst. Er legte etwas Tempo vor und überholte den einen oder anderen Läufer. Er war sich nicht sicher, wie er seine Kräfte einteilen sollte, denn er wußte nicht, wie lang die Strecke war. Es konnten fünf Kilometer sein oder auch zehn. Aber darüber, fand Masao, konnte er sich später Sorgen machen. Unaufhaltsam schob er sich vor, und bald lag wieder eine ganze Gruppe von Läufern hinter ihm. Er fing an, die frische Morgenbrise in seinem heißen Gesicht und die freie, leichte Bewegung seines Körpers zu genießen. Er blickte auf und entdeckte, daß nur noch ein halbes Dutzend Läufer vor ihm lagen. Wieder legte er Tempo zu, und dann waren nur noch fünf vor ihm, dann vier . . . und drei . . . Und Masao zog mit den beiden Läufern an der Spitze gleich. Sie begannen ihr Tempo zu beschleunigen, und Masao mußte kämpfen, um mit ihnen Schritt zu halten. Sein Herz pochte und seine Lungen brannten. Er war sich nicht sicher, ob er durchhalten würde. Es gab keinen Grund, warum er dies Rennen gewinnen sollte, es bedeutete ihm nichts. Und doch - er wußte, er mußte weitermachen. Es war eine Frage des Stolzes. Nachdem er zum Wettlauf angetreten war, mußte er ihn auch gewinnen. Der Zweitbeste wollte er nicht sein.

Also begann Masao noch schneller zu laufen, seine Arme und Beine pumpten wie die Kolben einer Maschine. Und nach ein paar Sekunden hatte er die Spitze erobert. Jetzt machte die Straße eine Kurve, und dort vorne lag ein Dorf. Quer über die Hauptstraße war ein Transparent gespannt: ZIEL.

Masao spürte, daß die beiden anderen Läufer aufholten, aber er rang sich noch einen letzten Spurt ab - und überquerte die Ziellinie vor ihnen. Auf einmal war er von einer Menschenmenge umringt, und alles war ein einziges aufgeregtes Durcheinander. Die Leute schüttelten ihm die Hand und gratulierten ihm, aber sie sprachen so schnell, daß er nicht verstand, was sie sagten.

»Schau her!« rief eine Stimme. Masao hob den Kopf und blickte in die Kameralinse eines Reporters, der ihn fürs Fernsehen filmte.

Es war unwirklich, wie ein Traum. Die Leute klopfen ihm den Rücken, legten ihm die Hand auf die Schulter.

»Du könntest bei der Olympiade starten . . .«

»Ich wette, du hast 'n Rekord gebrochen . . .«

»Bist du hier aus der Gegend . . .?«

Sie behandelten ihn alle, als wäre er so was wie ein Held. Anscheinend war es ein wichtiges Rennen für sie. Na, immerhin war es auch für ihn wichtig gewesen. Es hatte ihm das Leben gerettet. Er wünschte nur, die Leute würden etwas langsamer sprechen, damit er verstehen konnte, was sie sagten.

Ein würdig aussehender Mann kam zu Masao, riß seinen Arm in die Höhe und rief: »Ladies und Gentlemen! Ruhe, bitte!« Die Geräusche der Menge verstummten allmählich. »Dies ist ein großer Tag für uns alle. Unsere Gemeinde ist stolz darauf, das Fitneß-Programm des Präsidenten mitzugestalten. Dies ist schon das dritte Jahr, in dem ich diese Veranstaltung durchführe. Unsere Jugend von heute . . .«

Der Mann war vermutlich der Bürgermeister des Dorfes, überlegte Masao. Und er nutzte wohl den günstigen Augenblick, sich in der Aufmerksamkeit seiner Zuhörer zu sonnen. Masao hatte keine Ahnung, wovon der Mann redete. Aber er blieb höflich stehen und wartete, bis der Bürgermeister seine Ansprache beendete, bis er endlich fortgehen konnte.

Aber jetzt kam noch eine Überraschung. Als die Rede vorbei war, wandte sich der Bürgermeister Masao zu und sagte: »Und jetzt habe ich, im Namen unserer Bürger, das Vergnügen, dir zur Erinnerung an diesen ruhmreichen Tag einen Scheck zu überreichen.« Und er drückte Masao einen Scheck über hundert Dollar in die Hand. Die waren vom Himmel gesandt.

»Vielen Dank«, stammelte Masao. »Ich . . . ich . . .« Das Wörtchen *erfreut* wollte ihm nicht einfallen. »Ich bin sehr angenehm.« Aus der Menge stiegen Lachen und Beifall auf, und dann liefen die Leute langsam auseinander. Masao betrachtete den Scheck in seiner Hand. Das erste, was er sich kaufen mußte, waren Kleider. Er wandte sich an einen Jungen, etwa in seinem Alter, der Jeans und ein buntes Sporthemd trug.

Masao hielt den Scheck in die Luft und sprach ganz langsam: »Entschuldige, sag mir doch bitte, wo kann ich . . .«

Er unterbrach sich mitten im Satz, weil ihm das Wort *einlö-sen* nicht einfiel. Im stillen verfluchte er sich, daß er im Eng-lisch-Unterricht nicht besser aufgepaßt hatte.

Aber Masao hatte Glück. Der Junge verstand ihn. »Du willst'n einlösen? Da drüben, gleich an der Ecke, ist 'ne Bank. Komm mit. Ich zeig's dir.«

»Ja.«

»Wo kommst du her?«

»Tokyo.«

»Heh, das ist toll. Ich heiße Jim Dale. Und du?«

»Masao . . .« Er hielt inne. »Masao Harada.«

»Nett, dich kennenzulernen, Masao.«

Sie waren vor der Bank angekommen. Plötzlich fiel Masao ein, daß er keinen Paß bei sich hatte, überhaupt keine Papiere. Vielleicht würden sie ihm den Scheck nicht einlösen. Er war reich wie ein König, besaß ein Vermögen auf Bankkonten überall auf der Welt, aber er konnte keinen Cent davon lok-kermachen. Er war arm wie ein Bettler. Dieser Hundert-Dol-lar-Scheck war das einzige, woran er sich halten konnte.

»Ich komm mit dir rein«, erbot sich Jim Dale.

Dem blonden Jungen machte es anscheinend Spaß, sich im Ruhm seines neuen Freundes zu baden. Sie marschierten in die Bank, und Jim Dale führte Masao zum Kassenschalter.

Er sagte zu der Frau am Schalter: »Hi, Miß Perkins. Mein Freund will einen Scheck einlösen.«

Die Kassiererin schaute Masao an und lächelte: »Ach, Sie-sindalso derjungeder dasrennengewann.«

Masao starrte sie an. Wieder diese verdammte Sprache! »Wie . . . wie bitte?«

Sie wiederholte: »Siesindalso derjungederdasrennenge-wann.«

Auf einmal verstand Masao: *Sie sind also der Junge, der das Rennen gewann.* Er nickte. »Ja, Ma'am.«

Die Kassiererin nahm den Scheck und zählte fünf Zwanzigdollarscheine auf die Theke. Sie schob Masao das Geld zu. »Da haben Sie. Einhundert Dollar.«

Dankbar steckte er das Geld ein. »Vielen Dank.« Jetzt konnte er sich wenigstens Kleidung und Essen kaufen. Er drehte sich nach Jim Dale um. »Ich brauch was zum Anziehen. Weißt du . . .«

Jim nickte. »Kein Problem. Komm mit.«

Ein paar Minuten später betraten Masao und sein Freund einen Laden.

»Dies ist unser größtes Kaufhaus«, sagte Jim Dale stolz.

»Ist ja toll«, sagte Masao höflich. Es war winzig, verglichen mit den großen Kaufhäusern, die Masao von Japan gewöhnt war. Aber es würde seinen Zweck erfüllen. Jim führte Masao in die Kleider-Abteilung, wo eine Auswahl von Anzügen, Jeans und Hemden an den Stangen hingen. Masao suchte sich ein Paar Jeans und ein Sporthemd aus und probierte die Sachen gleich in der Kabine an. Sie paßten nicht gerade wie angegossen, aber es würde schon gehen. Wenigstens hatte er jetzt wieder etwas anzuziehen.

»Ich behalte sie gleich an«, sagte er zu dem Verkäufer.

Das nächste Problem war - etwas zu essen. »Gibt es eine Pizzeria hier in der Stadt?«

Jim Dale starrte ihn an. »Eine *was*?«

Masao dachte, er hätte das Wort vielleicht nicht richtig ausgesprochen. Er wiederholte es, ganz langsam. »Eine Piz-zeria.«

Der Junge errötete. »Klar. Wir haben 'ne ganz tolle. Bei Luigi. Ich hab nur gedacht . . . ich dachte . . . eßt ihr nicht japanisches Essen?«

Masao lachte. »Jeden Tag. Aber ich mag auch Hamburgers und Hot Dogs und Pizza.«

»Klasse, Mann. Komm mit!«

Bei Luigi war es voll und laut, schwatzende Oberschüler, die lachten und sich viel zu erzählen hatten. Masao kriegte Heimweh. Er war ein Fremder in einem fremden Land, und er hatte niemanden, mit dem er wirklich reden konnte.

Jim Dale sah ihn neugierig an. »Stimmt was nicht?«

Masao zwang sich ein Lächeln ab. »Doch. Alles in Ordnung. Die Pizza schmeckt herrlich.«

»Du kannst aber auch was wegstecken«, sagte der blonde Junge.

»Ich versteh dich nicht.«

»Ich meine, du hast 'n guten Appetit. Schätze, das kommt vom Wettrennen.«

Das Wort *Rennen* brachte Masao schlagartig in die Wirklichkeit zurück. Eine ganze Weile hatte er seine Probleme vergessen, aber jetzt stürzten sie wieder wie ein Wasserfall auf ihn nieder. Jim würde hinterher, nach dem Essen, nach Hause gehen - zu seiner Familie, wo er geschützt und sicher war. Für Masao gab es nirgendwo Sicherheit. Er mußte weiter fliehen. Je weiter er von der Jagdhütte und seinem Onkel fortkam, desto besser für ihn. Hier war es zu gefährlich für ihn. Es war ein kleines Städtchen, und als Fremder fiel er hier auf. Er mußte in eine große Stadt fahren, wo er in der Menge untertauchen konnte.

»Wie weit ist es bis nach New York City?« fragte Masao.

»Nur ein paar Stunden von hier, mit dem Zug.« Jim Dale schaute auf die Uhr. »In zwanzig Minuten fährt einer.«

Masao würde mitfahren, das stand fest.

Viertes Kapitel

Sachiko schaute sich zufällig die Abendnachrichten im Fernsehen an, und so entdeckte sie Masao bei der Siegerehrung nach dem Volkslauf. Sie rief ihren Mann herbei, und beide beobachteten Masao auf dem Bildschirm.

Teruo erinnerte sich gleich, wie er morgens an den Läufern vorbeigefahren war. Also hatte sich Masao doch dort versteckt! So nahe war Teruo daran gewesen, ihn zu erwischen! Er hätte nicht gedacht, daß sich sein Neffe so lange vor ihm verbergen konnte. Immerhin war der Junge ohne Geld und ohne Kleider. Er hatte keine Freunde und wußte nicht, wohin er sich wenden sollte. Es war also nur eine Frage der Zeit, bis man ihn finden würde. Aber Teruo hatte keine Zeit zu verlieren. Er mußte Masao loswerden. Es war an der Zeit, Hilfe einzuschalten.

Da gab es einen Privatdetektiv, von dem Teruo Sato erfahren hatte. Ein schlauer, hartgesottener Profi namens Sam Collins, der für Geld alles machte. Er stand in dem Ruf, rücksichtslos vorzugehen und immer ans Ziel zu gelangen. Das war eine Kombination von Eigenschaften, die Teruo Sato imponierte. Er nahm den Telefonhörer ab und wählte Sam Collins' Privatnummer.

Masao hatte geglaubt, er werde sich in Manhatten verloren fühlen, aber irgendwie, auf seltsame Art, kam ihm alles vertraut vor. Die großen Gebäude und der Lärm und die Menschenmenge und das Verkehrsgewühl - das alles erinnerte ihn an Tokyo. Und weil Masao viele amerikanische Filme gesehen hatte, erkannte er die Radio City Music Hall, das Empire State Building und das Rockefeller Center gleich wieder. Zum erstenmal, seit er vor seinem Onkel davongelaufen war, fühlte sich Masao ruhiger. Hier in der großen Stadt müßte es beinahe möglich sein, unentdeckt zu bleiben. Er verschwand in der treibenden Menge, zwischen all den Menschen, die durch die Straßen eilten - auf dem Weg zur Arbeit, zu Freunden, zur Untergrundbahn.

Masao schlenderte den Broadway entlang, er staunte über die großen Leuchtschriften an den Fassaden und bewunderte die Auslagen in den Schaufenstern. Er entdeckte, daß viele Geräte in den Schaufenstern aus Japan stammten - Transistorradios und Kameras, Fernseher und Kassettenrekorder. Und viele waren von Matsumoto Industries hergestellt. Das erfüllte Masao mit Stolz - und ein wenig mit Angst.

Er lauschte auf die Gespräche der Menschen um ihn her - und alle schienen sie verschiedene Sprachen zu sprechen. Er hatte gehört, daß Amerika ein Schmelztiegel der Völker sei, und das stimmte. Hierher kamen Menschen aus allen Teilen der Welt, und alle brachten sie ihre Sitten und Traditionen und ihre eigene Sprache mit. In den Schaufenstern hingen Werbetafeln in Spanisch und Französisch, in Deutsch, Italienisch und Japanisch.

Es wurde schon dunkel, und Masao wußte immer noch nicht, wo er die Nacht verbringen sollte. Er stellte sich in eine Toreinfahrt und zählte sein Geld. Er hatte noch sechzig Dollar. Er würde sehr sparsam mit seinem Geld umgehen müssen. Er mußte sich einen Job suchen und sein weiteres Vorgehen sorgfältig planen. Wen konnte er um Hilfe bitten?

Endlich fiel ihm Kunio Hidaka ein, der Chef der Amerika-Filiale von Matsumoto Industries. Aber sein Büro befand sich in Los Angeles, Kalifornien, am anderen Ende des Kontinents. Masao mußte eine Möglichkeit finden, hinzufahren. Mr. Hidaka war ein Freund. Er würde ihm Glauben schenken und ihm helfen. Er hatte Masaos Vater geliebt und war der Familie Matsumoto treu ergeben. Schon der Gedanke an ihn bewirkte, daß sich Masao besser fühlte. Er würde in New York bleiben, bis er genug Geld verdient hatte, um nach Kalifornien zu fahren. Es konnte nicht schwer sein, einen Job zu finden, denn er war bereit, alles zu machen - Geschirr zu waschen, Botengänge zu erledigen, Fußböden zu scheuern. Das einzig Wichtige war jetzt, am Leben zu bleiben. Jeder Tag, der verging, brachte ihm neue Sicherheit. Irgendwann würde dann sein Onkel die Suche nach ihm als ergebnislos abbrechen.

Teruo Sato war ein Mann, der sich nicht so leicht geschlagen gab. Bedächtig wie ein Schachmeister hatte er jeden Zug seines Spiels geplant, und er war nicht bereit, dieses Spiel jetzt aufzugeben.

Teruo hatte eine Verabredung mit Sam Collins. Der Privatdetektiv erfüllte vollauf Teruos Erwartungen. Collins war ein breitschultriger, zielstrebig wirkender Mann mit flinken Knopfaugen und dem zermatschten Gesicht eines Ex-Boxers. Ein Ohr war total verunstaltet, und seine Nase war so oft gebrochen, daß die Ärzte es schließlich aufgegeben hatten, sie zu operieren.

»Sie sind mir bestens empfohlen worden«, sagte Teruo. »Ich brauche jemanden, der verschwiegen ist.«

»Das ist mein Geschäftsprinzip. Ich mach meinen Job und halte den Mund.«

»Ausgezeichnet. Sie sollen einen Jungen finden. Meinen Neffen. Er hatte einen Nervenzusammenbruch. Ich will, daß er gefunden und hierher gebracht wird.«

»Ist er ausgerissen?«

»Das geht Sie nichts an.«

»Ich dachte nur, es könnte nützlich sein, zu wissen . . .«

»Ich werde Ihnen dieses Foto überlassen. Er hat keine Freunde und kein Geld. Er kann nicht sehr weit gekommen sein.«

»Ein japanischer Junge, der durch die Straßen läuft, ist nicht schwer zu entdecken.«

Teruo musterte Sam Collins. »Machen Sie nicht den Fehler, seine Intelligenz zu unterschätzen. Er wird sich verstekken.«

»Okay. Vielleicht wird es etwas dauern. Falls er . . .«

»Nein. Ich will, daß er schnellstens gefunden wird. Ich werde Ihnen das doppelte Honorar zahlen, und außerdem eine Prämie von fünfzigtausend Dollar, wenn Sie den Jungen schnell finden.«

Der Detektiv schluckte. »Fünfzig . . .?«

»Ja. Und da ist noch eines, was Sie wissen sollten. Mein Neffe hat bereits einen Mann ermordet. Falls Sie ihn in Selbstverteidigung töten müßten . . .« Teruo machte eine Pause und setzte vorsichtig hinzu: ». . . wird niemand Ihnen einen Vorwurf machen. Die Prämie gehört Ihnen trotzdem.«

Sam Collins machte ein nachdenkliches Gesicht. »Ich werde tausend Dollar Vorschuß brauchen.«

»Natürlich. Nur, finden Sie ihn!«

»Vertrauen Sie mir.«

Aber Teruo vertraute niemandem. Nachdem der Privatdetektiv gegangen war, schloß Teruo Sato die Augen und blieb regungslos sitzen. Er plante seinen nächsten Zug. Er versetzte sich an die Stelle seines Neffen. Wo würde er sich verstecken? In Manhattan natürlich, mit seiner Zehn-Millionen-Bevölkerung. Dort mußte man den Jungen suchen. Ein einziger Privatdetektiv, auch wenn er clever war, konnte ihn wahrscheinlich nicht finden. Jedenfalls nicht schnell genug. Es mußte einen anderen Weg geben. Masao mußte Arbeit suchen. Natürlich! *Die Versicherungskarte.* Teruo war ein Meister des Schachspiels, und er dachte auch an diese Möglichkeit. Er lächelte. Es war ein wunderbarer Plan, einfach und narrensicher.

Masao würde binnen weniger Stunden gefangen sein.

Manhatten bei Nacht war faszinierend. Es funkelte mit Millionen Lichtern. Da waren die Lichter der Wolkenkratzer und die Leuchtreklamen, riesige Neonschriften und hell erleuchtete Schaufenster, und dazu die Scheinwerfer von abertausend Autos.

Masao schaute den Rollschuhläufern vor dem Rockefeller Center zu, er lief durch den Theater-Distrikt am Broadway, wo die großen Shows liefen. Er sah das berühmte Sardi, wo die Stars der Bühne zu Abend speisen, er bestaunte die Public Library, die größte Bibliothek der Welt, und die Steinlöwen auf dem Platz davor. Er bewunderte die Schaufenster teurer Modegeschäfte an der Fifth Avenue, bekannte Namen wie Lord & Taylor, Bergdorf-Goodman und Saks, und er mußte an seine Mutter denken, die viel Spaß daran gehabt hätte, hier einen Einkaufsbummel zu machen. Aber sie war für immer von ihm gegangen, genau wie sein Vater. Ein furchtbares Gefühl tiefster Verlassenheit überwältigte Masao. Er mußte am Leben bleiben. Wenn nicht seinetwegen, dann wenigstens ihretwegen.

Auf einmal bekam er Hunger, und erst jetzt merkte er, daß die normale Essenszeit längst vorbei war. Auf der langen Seventh Avenue gab es Hunderte von Restaurants, zwischen denen Masao wählen konnte. Er ging ins McDonald's - mit dem goldenen ›M‹. Es war beinah wie zu Hause in Tokyo.

»Ich möchte einen Hamburger, bitte.«

»Wiewillst'nhaben?«

Es war *nicht* wie zu Hause in Tokyo.

Er starrte die Kellnerin an. »Wie bitte?«

»Wiewillst'nhaben? Leichtmittelscharf?«

Er hatte keine Ahnung, was sie sagte. Er sah zu einem kleinen Jungen hinüber, der neben ihm einen Hamburger verdrückte. »Ich . . . ich möchte so einen, bitte.«

»Gut.« Sie drehte sich um und rief dem Küchenchef zu: »Einen Burger, leicht.«

Aha! Sie hatte also gefragt, wie er seinen Hamburger gebraten haben wollte.

»Fritz?«

Wieder war Masao verwirrt. Was bedeutete ›Fritz‹? Jetzt wurde ein Teller voll Pommes frites vor den kleinen Jungen hingestellt. Masao ließ es auf einen Versuch ankommen: »Fritz«, sagte er.

Er hatte recht gehabt, wie sich zeigte. Er bestellte sich noch ein Sandwich und noch einmal Fritten und krönte sein Abendbrot mit einem Schoko-Milchshake.

»Entschuldigung«, sagte er zu der Kellnerin. »Ich suche ein Hotel. Nichts Teures. Könnten Sie mir vielleicht eins vorschlagen?«

»Achdagibts'nemenge . . .«

Masao unterbrach sie. »Entschuldigung. Könnten Sie etwas langsamer sprechen, bitte?«

»O ja, sicher. Es gibt eine Menge Hotels hier in der Gegend, aber manche sind ein bißchen gefährlich. Es wäre besser, wenn du zur East Side gehst.«

»Gut, vielen Dank.«

Masao ging und machte sich auf den Weg zur East Side. Es gab überall Bushaltestellen an den Straßen, aber er wollte lieber laufen. Es gab ja so viel zu sehen. Die Stadt war so faszinierend, daß Masao beinah die Gefahr vergaß, in der er schwebte. Man würde Jahre brauchen, dachte Masao, um wirklich ganz New York kennenzulernen. Morgen werde ich mich nach einem Job umsehen. Und bald wird Teruo mich vergessen haben. Ich werde einen Weg finden, ihn zu besiegen.

In einer Nebenstraße der Lexington Avenue fand er ein sauberes kleines Hotel und beschloß, einen Versuch zu wagen. Es gab ja Tausende von Hotels in Manhattan, und sein Onkel konnte sie nicht alle kontrollieren. Hier würde er in Sicherheit sein. Masao ging hinein. Die Lobby war beinah menschenleer. Am Empfang saß ein Japaner, und Masao war schon in Versuchung, zu fliehen. Wie, wenn Teruo ein ganzes Netz von Japanern beschäftigte, um seine Spur zu finden? Wahrscheinlich gab es in New York eine weitverzweigte japanische Kolonie, in der sich Nachrichten mit Windeseile herumsprachen. Ich leide schon an Verfolgungswahn, dachte Masao. Es ist doch nicht jeder mein Feind.

Er ging zur Rezeption. »Ich möchte ein Zimmer für eine Nacht, bitte.«

Er sprach Japanisch, und der Portier antwortete ihm auf japanisch, und erst jetzt wurde Masao klar, wie sehr er die Sprache seiner Heimat vermißte. Japanisch war eine so zivilisierte Sprache. Es war so leicht zu verstehen.

Masao trug sich unter falschem Namen ein - wozu unnötig Risiken eingehen? - und wurde in sein Zimmer geführt.

Das Zimmer war klein und eng, aber es war reinlich und billig. Masao legte sich aufs Bett und dachte an die Ereignisse der letzten Tage. Das Flugzeugunglück, bei dem seine Eltern den Tod fanden, die Reise nach Amerika, die schrecklichen Dinge, die in der Jagdhütte passiert waren und mit dem Tod des Chauffeurs Higashi endeten. Masao mußte daran denken, wie er im Unterhemd geflüchtet war, er dachte an den Volkslauf und an die Preisverleihung.

Bis jetzt hatte er Glück gehabt. Er fragte sich, wie lange das Glück ihm treu bleiben würde. Er schlief ein.

Als er erwachte, schien die Sonne durchs Fenster herein. Er schlug die Augen auf und fühlte sich frisch und ausgeruht. Er schaute auf die Uhr. Schon elf! Er hatte beinahe zwölf Stunden geschlafen! Er wusch sich unter der Dusche, am anderen Ende des Flurs, und zog die gleichen Sachen an, die er schon am Vortag getragen hatte. Sie waren alles, was er besaß. Wenn er erst einen Job gefunden hatte, würde er sich Kleider kaufen. Inzwischen war es Zeit fürs Frühstück.

Masao hatte Lust auf ein richtiges amerikanisches Frühstück. Mit Orangensaft und Speck mit Eiern und Pfannkuchen. Gestern abend hatte er, zwei Straßenecken vom Hotel entfernt, ein kleines Café entdeckt. Dorthin ging er jetzt. Vielleicht hatten sie sogar einen Job für ihn; er könnte am Tresen arbeiten.

Er kam an die Straßenecke und mußte warten, bis die Ampel umschaltete. Jetzt kurvte ein Lieferwagen heran und hielt neben dem Zeitungskiosk an der Straßenecke. Ein Mann auf der Ladepritsche warf einen Packen Zeitungen auf den Bürgersteig. Die Ampel schaltete auf Grün, und die Fußgänger drängten zur anderen Straßenseite hinüber. Masao aber blieb wie angewurzelt stehen. Vom Titelblatt der Zeitung starrte ihm sein eigenes Foto entgegen. Die Schlagzeile verkündete: POLIZEI FAHNDET NACH JUGENDLICHEM MÖRDER.

Fünftes Kapitel

Plötzlich, von einer Sekunde zur anderen, war jeder sein Feind.

Masao hatte das Gefühl, als stünde er nackt im Scheinwerferlicht. Jetzt war er keine anonyme Gestalt in einer Menge von Fremden mehr. Er war eine Zielscheibe, ein Gejagter, und die Polizei war hinter ihm her. Fremde Menschen starrten ihn an, als ob sie sein Gesicht mit dem Foto auf der Titelseite der Zeitung verglichen.

Masao taumelte unter dem Schock des Wortes *Mörder*. Higashis Tod war die Folge eines Unfalls. Das mußte Teruo wissen, aber er hatte die Dinge so verdreht, daß die Falle zuschnappen mußte. Masao konnte vor Gericht gestellt und lebenslänglich eingesperrt - ja sogar hingerichtet werden. Und dann konnte nichts Teruo daran hindern, die Firma an sich zu reißen.

Ein Polizist in Uniform ging vorbei, und Masao drehte sich unwillkürlich weg. Die Straßen waren nicht mehr sicher für ihn. Gar zu leicht war sein Gesicht unter all den Weißen zu erkennen. Zwar gab es auch ein japanisches Stadtviertel in New York, und Masaos erster Gedanke war, es aufzusuchen und sich dort unter all den anderen japanischen Gesichtern zu verstecken. Aber er zögerte. Dort würde die Polizei ihn sicher zuerst suchen. Wahrscheinlich liefen dort Detektive mit seinem Foto herum und suchten die Straßen und Restaurants und Hotels nach ihm ab. Nein, auch dort gab es keine Sicherheit. Nirgends gab es Sicherheit. Er wagte nicht einmal, in sein Hotel zurückzukehren.

Der Polizist war stehengeblieben und schaute in Masaos Richtung. Masao schlenderte langsam weiter, aber seine Gedanken rasten - er versuchte seinen nächsten Schritt zu überdenken. Seine Situation schien hoffnungslos. Sein Leben war in Gefahr. Alle suchten ihn. Wenn die Polizei ihn nicht erwischte, dann eben Teruo. Das Netz von Matsumoto Industries war weit verzweigt. Die Firma besaß großen Einfluß, und Teruo würde diesen Einfluß nutzen, um Masao zu vernichten. Auf einmal - hatte Masao eine Idee. Es *gab* einen Ort, wo niemand ihn suchen würde. Nicht einmal Teruo. Zum erstenmal sah Masao einen Hoffnungsschimmer.

Er ging in eine Telefonzelle, schlug das dicke Telefonbuch der Metropole auf und suchte eine Nummer heraus.

Die New Yorker Filiale von Matsumoto Industries befand sich in einem ausgedehnten Industriegebiet des Stadtteils Queens, nicht weit vom La Guardia Airport. Um zwei Uhr nachmittags erschien Masao im Personalbüro der Fabrik. Er war vor dem riesigen Matsumoto-Gebäude aus dem Bus gestiegen und hatte, mit einem Kloß in der Kehle, das Firmenschild betrachtet, das den Namen seines Vaters - und auch den seinen - trug. Irgendwann hatte er eine Geschichte über einen Mann gelesen, der einen wichtigen geheimen Brief versteckte, indem er ihn zwischen einem Stapel unwichtiger Briefe ganz offen auf seinem Schreibtisch liegenließ. Niemand war auf die Idee gekommen, ihn dort zu suchen. Ja, und niemand würde auf die Idee kommen, Masao *hier* zu suchen. Die Matsumoto-Fabrik war der letzte Ort, wo Teruo oder die Polizei ihn vermuten würden.

Masao hatte sich telefonisch angemeldet und wurde vom Personalchef, Mr. Watkins, erwartet. Eine Sekretärin gab Masao ein Bewerbungsformular, das er ausfüllen sollte. Er las es durch, und sein Herz sank ihm in die Hose.

Name: *Er durfte seinen richtigen Namen nicht angeben.*

Adresse: *Er hatte keine Adresse.*

Telefonnummer: *Er hatte keine.*

Geburtsort: *Er war hier ein Fremder.*

Beruf: *Flüchtling.*

Es war eine so gute Idee gewesen, sich als Arbeiter unter hundert anderen in der Matsumoto-Fabrik zu verstecken. Aber dies . . .!

Die Sekretärin beobachtete ihn. »Haben Sie Schwierigkeiten?«

»Oh, nein«, beeilte sich Masao zu sagen. Er beugte sich wieder über das Formular. Er *mußte* diesen Job kriegen. Er konnte sonst nirgendwohin. Er mußte genug Geld verdienen, um nach Kalifornien zu fliegen und Kunio Hidaka aufzusuchen. Er blickte auf und sah, daß die Sekretärin ihn noch immer beobachtete. Masao fing an zu schreiben.

Als er das Formular ausgefüllt hatte, hieß er Masao Harada, geboren in Chicago, Illinois, und seine gegenwärtige Adresse war das CVJM-Heim. In der Spalte *bisherige Stellungen* hatte Masao ein Halbdutzend fiktive Firmen mit erfundenen Adressen in Chicago, Detroit und Denver eingetragen. Es würde Wochen dauern, um all diese Angaben nachzuprüfen, und bis dahin war er längst über alle Berge.

Zehn Minuten später stand er im Büro von Mr. Watkins. Der Personalchef war ein fetter Mann in mittleren Jahren, mit dicken roten Lippen und einem Toupet, das genau wie ein Toupet aussah.

Er studierte das Formular, das Masao ihm überreicht hatte, und sagte: »Du scheinst mir ziemlich jung für die vielen Stellungen, die du angeblich hinter dir hast.«

Einen Augenblick lang geriet Masao in Panik. Hatte er zu

viele Arbeitgeber angegeben? Watkins schüttelte mißbilligend den Kopf. »Habe noch nie von diesen Firmen gehört.«

Kein Wunder. Sie existierten ja gar nicht. »Es sind sehr kleine Betriebe, Sir.«

Watkins brummte: »Tut mir leid, mein Junge. Wir stellen nur Leute mit Erfahrung ein.«

Masao durfte sich nicht mit einem *Nein* abfinden. Sein Leben hing davon ab. »Ich *habe* Erfahrung, Sir.« Verzweiflung schwang in seiner Stimme mit. »Bitte, versuchen Sie es doch mit mir.«

»Ich weiß nicht . . .«

In diesem Augenblick flog die Tür auf, und ein Mann in Hemdsärmeln kam herein, einen Packen Papiere in der Hand. »Bitte, können Sie das zu Tony schicken?«

»Klar«, antwortete Watkins. »Übrigens, der junge Bursche hier behauptet, ein Elektronik-Genie zu sein. Möchten Sie ihm mal ein paar Fragen stellen?«

Der Mann warf Masao einen Blick zu. »Na gut.«

Watkins sagte zu Masao: »Mr. Davis ist unser Chef-Ingenieur.«

»Haben Sie schon mit Elektronik gearbeitet?« fragte Davis.

»Ja, Sir.«

»Können Sie einen Schaltkreis zusammensetzen?«

»Natürlich, Sir.« Masao fühlte festen Boden unter den Füßen, denn hier ging es um etwas, das er verstand und liebte. Er sprach langsam und gab sich Mühe, die technischen Ausdrücke korrekt aus dem Japanischen ins Englische zu übersetzen. »Man beginnt mit einer leeren Platte. Dann wird der gewünschte Schaltkreis photographisch aufgebracht, und die Elemente werden auf die Platte montiert. Dies sind Transistoren, Widerstände und integrierte Minischaltungen. Die Platte wird in ein Säurebad getaucht, wo alles Überflüssige weggeätzt wird. Dann . . .«

»Halt!« Mr. Davis hob die Hand. Er drehte sich zu Watkins um. »Er versteht nicht nur etwas von der Sache - in ein paar Monaten wird er sich um *meinen* Job bewerben. Viel Glück, mein Junge.« Und damit ging er.

Watkins sagte zu Masao: »Mir scheint, du hast den Job gekriegt.«

Masao spürte, wie ihm das Herz aufging. »Vielen Dank, Sir.«

»Wir brauchen jemand am Montageband. Der Lohn ist 250 Dollar die Woche, für den Anfang.«

Masao rechnete den Betrag in Yen um. In einer Woche konnte er genug verdienen, um nach Kalifornien zu fahren!

Watkins unterbrach seine Gedanken: »Ich brauche noch deine Versicherungskarte.«

Masao starrte ihn verständnislos an. Er hatte keine Versicherungskarte! »Ich . . . äh . . .« Masao überlegte blitzartig. »Die ist bei meinem Vater. Und der ist gerade verreist. Ich bringe sie mit, wenn er wieder zu Hause ist.«

Watkins zuckte die Schultern. »Okay. Komm jetzt. Ich bring dich zu deinem Arbeitsplatz.« Er musterte Masaos Gesicht. »Du hast noch nie bei uns gearbeitet, oder?«

»Nein, Sir.«

»Komisch«, sagte Watkins. »Dein Gesicht kommt mir verdammt bekannt vor.«

Und Masao spürte, wie ihn die Angst erneut durchzuckte.

Von innen war die Matsumoto-Fabrik geräumig und sauber, und es herrschte emsige Geschäftigkeit. Normalerweise wäre Masao stolz darauf gewesen, daß all dies das Werk seines Vaters war. Diese Menschen verdankten Yoneo Matsumoto ihren Arbeitsplatz; aber daran durfte Masao jetzt nicht denken. Dies war für ihn keine Fabrik - es war ein zeitweiliges Versteck für ihn, ein Zufluchtsort.

Es waren etwa hundert Arbeiter am Montageband, viele davon Japaner. Männer und Frauen arbeiteten Seite an Seite. Masao wurde dem Vorarbeiter vorgestellt, einem kleinen Mann mit hagerem, unsympathischem Gesicht. Er hieß Oscar Heller, und er machte gleich einen unangenehmen Eindruck auf Masao.

Heller führte Masao in den Umkleideraum und warf ihm einen weißen Kittel zu. »Da. Das wirst du immer anziehen, wenn du am Fließband stehst. Verstanden?«

»Ja, Sir.«

»Komm jetzt.«

Sie kehrten in die Fabrikhalle zurück. Heller deutete auf einen freien Platz am Montageband. »Dort wirst du arbeiten. Und ich dulde keine Faulenzerei, hast du verstanden?«

»Ich habe verstanden, Sir.«

»Dann mach dich an die Arbeit.«

Masao schaute dem Vorarbeiter nach, wie er weiterschlenderte und irgendwo stehenblieb, um einem Mädchen auf den Hintern zu tätscheln. Als sie zusammenzuckte und etwas Zorniges zu Heller sagte, lachte er nur und ging weiter. Masao war empört. Wie konnte ein solcher Mensch Vorarbeiter werden? Falls er den Zwischenfall meldete, würde der Mann gefeuert. Aber natürlich hatte Masao hier nichts zu sagen. Er konnte froh sein, daß er Arbeit gefunden hatte.

Masao wandte sich ab und studierte das Montageband. Es war genau das gleiche wie in der Fabrik in Tokyo. Dies war ein Vorteil der Massenproduktion. Er konnte in jede Matsumoto-Fabrik auf der Welt gehen und wußte immer, wie dort gearbeitet wurde.

Er beobachtete, wie die gedruckten Schaltkreise auf die Platte gebracht wurden und wie das Säurebad alles Überflüssige wegätzte. Dann wurden Löcher in die Schalttafel gebohrt und die Elemente montiert. Am Schluß lief das Ganze durch einen Bottich mit Isoliermasse, die an den Drähten und Kupferteilen haftenblieb. Es war ein Arbeitsgang, den Masao schon tausende Male gesehen hatte.

Masaos Platz am Fließband war zwischen einem mittelalten Mann zu seiner Linken und einem jungen Mädchen zu seiner Rechten. Beide waren Japaner.

Der Mann drehte sich zu Masao um und sagte: »Willkommen.«

»Danke«, erwiderte Masao. Dann wandte er sich dem Mädchen zu - und da blieb ihm beinah das Herz stehen. Sie war das schönste Mädchen, das er je gesehen hatte. Sie hatte ein feines, ovales Gesicht und sanfte kluge Augen. Sie schien etwa in seinem Alter zu sein.

Sie merkte, daß Masao sie anstarrte, und sagte: »Willkommen.«

»Danke.«

»Mein Name ist Sanae Doi.« Ihre Stimme war weich und melodisch.

»Ich heiße Masao.« Er zögerte. »Masao Harada.«

Masao blickte auf und sah, daß Heller ihn quer durch die Fabrikhalle anstarrte. Er wird mir Schwierigkeiten machen, dachte Masao.

»Fang lieber an zu arbeiten«, flüsterte Sanae. »Mr. Heller kann es nicht leiden, wenn jemand nichts tut. Soll ich dir zeigen, was du zu tun hast?«

»Vielen Dank. Ich glaube, ich weiß schon Bescheid«, sagte Masao. Und während Sanae zuschaute, griff Masao nach den elektronischen Teilen vor ihm und begann, sie zusammenzubauen. Er arbeitete mit einer angeborenen Geschicklichkeit, jede Bewegung war rasch und präzise.

Sanae sah staunend zu. So etwas hatte sie noch nie gesehen. »Du . . . du bist sehr gut«, sagte sie.

»Vielen Dank.« Masao machte es Freude, mit seinen Händen zu arbeiten. Aber er wußte, daß es ihn irgendwann langweilen würde. Jetzt war es natürlich egal, er war nur hier, weil das ihm Sicherheit bot - getarnt als einer unter vielen Arbeitern seiner eigenen Firma. Seine Finger hantierten ganz automatisch mit den Montageteilen, aber seine Gedanken waren bei anderen Dingen. Er würde Schwierigkeiten bekommen, falls es ihm nicht gelang, eine Versicherungskarte herbeizuschaffen. Ein anderes Problem war, wie er eine Unterkunft finden sollte. Er hatte nur noch wenig übrig von den hundert Dollar, die er bei dem Wettlauf gewonnen hatte. Zahltag war erst in einer Woche, und bis dahin würden die paar Dollars nicht ausreichen.

In der Fabrik gab es vormittags eine Kaffeepause und eine am Nachmittag, und die Nachmittagspause nutzte Masao, um sich einmal im ganzen Betrieb umzusehen. Hier und da blieb er stehen, um sich mit den Arbeitern zu unterhalten. Sie schienen sehr tüchtig und interessierten sich für ihre Arbeit. Durch beiläufige Fragen erfuhr Masao, daß sie zufrieden und stolz waren, hier zu arbeiten. Mein Vater, dachte Masao, hätte sich gefreut. Das einzige Problem, soweit Masao sehen konnte, war Oscar Heller, der Vorarbeiter. Er war ein Leuteschinder, und die Arbeiter fürchteten ihn und versuchten, seinem Zorn zu entgehen. Wieder fragte sich Masao, wie es geschehen konnte, daß man Mr. Heller die Aufgabe eines Vorarbeiters übertragen hatte. Immer wenn Masao mit anhören mußte, wie Mr. Heller eine der Frauen wegen eines kleinen Fehlers anbrüllte, wollte er am liebsten dazwischentreten - aber er wußte, daß ihm nichts anderes übrigblieb, als den Mund zu halten und nicht aufzufallen.

Die Fabrikglocke läutete fünf Uhr, und die Arbeiter hatten Feierabend. Sie gingen in den Umkleideraum, wo sie ihre weißen Kittel gegen ihre Jacken und Mäntel vertauschten. Masao beobachtete Sanae, wie sie ihren Mantel anzog. Sie war sehr anmutig. Masao beschloß, sie irgendwann näher kennenzulernen.

Zusammen mit den anderen marschierte Masao durchs Fabriktor, aber da war ein großer Unterschied: Sie alle hatten ein Zuhause. Er wußte nicht, wohin er gehen sollte. Er konnte es nicht riskieren, über Nacht draußen auf der Straße zu bleiben. Die Polizei suchte ihn, und sein Onkel Teruo verfolgte ihn. Er mußte ein Zimmer finden. So wanderte er durch die Seitenstraßen, bis er vor einem schäbigen kleinen Hotel mit ramponiertem Baldachin über dem Eingang stand. Masao trat ein. Die Halle sah aus, als wäre sie seit Jahren nicht mehr ausgekehrt worden, und es roch nach Staub und Trostlosigkeit. Hinter der Theke hockte ein gelangweilter Portier und las ein Taschenbuch mit einer nackten Frau auf dem Umschlag.

Masao blieb vor ihm stehen. »Entschuldigen Sie. Haben Sie ein Zimmer frei?«

Der Portier nickte, ohne aufzublicken. »Yeah.«

»Was kostet es, bitte?«

»Willst du die Miete tageweise oder wöchentlich oder monatlich zahlen?«

Masao fragte sich, wie jemand es aushalten konnte, einen ganzen Monat in einem so schäbigen Haus zu wohnen.

»Wöchentlich.«

Der Portier blickte auf. »Zehn Dollar die Nacht, sechzig Dollar die Woche. Zahlung im voraus.«

Masao machte sich klar, daß ihm kein Cent übrigbleiben würde, aber er hatte keine andere Wahl. Tagsüber war er in Sicherheit, aber er mußte auch eine Zuflucht für die Nacht finden.

»Sehr gut«, sagte er. »Ich will's nehmen.«

Der Portier nahm einen Schlüssel vom Brett und reichte ihn Masao. »Haste Gepäck?«

»Nein.«

Der Portier schien nicht überrascht. Masao fragte sich, was für Leute in diesem Haus wohnen mochten. Die Verlorenen und Geschlagenen. Jene, die sich aufgegeben hatten.

»Zimmer 217, erster Stock.«

»Vielen Dank.«

Masao drehte sich um und stieg die Treppe hinauf. Der Teppich war zerschlissen, und die Wände waren mit Graffiti verschmiert: *Kilroy war hier, aber er ist wieder abgehauen. Konnte den Gestank nicht aushalten... Mary liebt John; John liebt Bruce... Hilfe! Nichts wie raus hier... Kakerlakenhimmel...*

Die Vorhalle und das Treppenhaus, so armselig sie waren, hatten Masao nicht auf den Anblick des Zimmers vorbereitet. Sein ganzes Leben lang hatte er sein eigenes Zimmer gehabt, groß und sauber und luftig, mit einem herrlichen Ausblick auf den Garten und das Land. Dieses Zimmer hier war kaum größer als ein Wandschrank, schmutzig und trostlos, mit ein paar billigen, abgestoßenen Möbelstücken und einem zersplitterten Fenster, das auf eine öde Ziegelmauer hinausblickte. Das winzige Bad enthielt ein fleckiges Waschbecken, eine Kloschüssel mit zerbrochenem Plastiksitz und eine Dusche, so niedrig, daß Masao darunter kaum aufrecht stehen konnte. Das Bett sah aus, als wäre es wochenlang nicht mehr bezogen worden. Masao schaute sich in dem deprimierenden Raum um und fragte sich, wie lange er es hier aushalten würde. Na ja, er wollte es Tag für Tag neu versuchen.

Er hatte kein Geld mehr übrig, um sich etwas zu essen zu kaufen, und wollte auch nicht durch die Straßen laufen, wo irgend jemand ihn erkennen konnte. Darum blieb er auf seiner Bude und versuchte, einen Plan für die Zukunft zu machen. Er schrieb sich die Probleme auf, mit denen er zu kämpfen hatte:

1. Ich habe kein Geld.
2. Ich habe keine Freunde.

3. Ich bin in einem fremden Land.

4. Die Polizei sucht mich, wegen eines Mordes, den ich nicht begangen habe.

5. Mein Onkel sucht mich, um mich umzubringen.

Es war so trostlos, daß Masao beinahe lachen mußte. Ein anderer hätte die Hoffnung fahrenlassen - er aber war Masao Matsumoto, der Sohn von Yoneo Matsumoto, und er würde niemals aufgeben.

Nicht, solange er lebte.

Sechstes Kapitel

Am nächsten Morgen ging Masao wieder zur Arbeit. Er lief schnell, um sich möglichst kurze Zeit auf offener Straße aufzuhalten. Als er die Fabrik erreichte, schlüpfte er in seinen weißen Kittel und setzte sich an seinen Platz am Montageband. Sanae war schon da.

»Guten Morgen.«

»Guten Morgen.«

Das Fließband rollte an, und Masao versuchte, sich auf die Schaltkomponenten zu konzentrieren, die vor ihm vorbeiglitten. Es fiel ihm schwer, sich zu konzentrieren, denn er steckte in einer Situation, die er noch nie kennengelernt hatte: Hunger. Seit über sechsunddreißig Stunden hatte er nichts gegessen, und er hatte keine Ahnung, wie er zu einer Mahlzeit kommen sollte. Sein letztes Geld hatte er dem Hotelportier gegeben, und Zahltag war erst in der nächsten Woche. Masao hatte sich noch niemals Gedanken über den Hunger gemacht. Wenn ein Mensch gut genährt ist, denkt er nicht ans Essen. Aber wenn ein Mensch hungrig ist, kann er an nichts anderes mehr denken.

Die Glocke läutete zur Mittagspause, und Masao schaute zu, wie die anderen Arbeiter zum Essen gingen. Einige kauften sich ihr Mittagsbrot bei den Imbißwagen, die am Fabriktor vorfuhren und Suppe und Sandwiches und Kaffee und Doughnuts feilboten. Andere hatten sich ihre Mahlzeit von zu Hause mitgebracht. Draußen vor der Fabrik gab es einen hübschen kleinen Park, mit Bänken für die Arbeiter und mit viel Licht und Sonne. Weil es ein warmer, sonniger Tag war, aßen viele draußen. Masao stand abseits und beobachtete sie neidisch.

Eine Stimme neben ihm sagte: »Willst du nichts essen?«

Er drehte sich um und sah Sanae neben sich stehen. »Ich . . . äh . . . nein«, sagte Masao. »Ich habe reichlich gefrühstückt.« Er wäre lieber gestorben, als zuzugeben, daß er kein Geld besaß, um sich etwas zu essen zu kaufen.

Sanae musterte ihn eine Weile und sagte dann höflich: »Falls du's dir anders überlegst, ich hab ein Sandwich übrig.«

Sein Stolz zwang ihn zu sagen: »Nein, vielen Dank.« Er war kein Bettler; er war der Sohn von Yoneo Matsumoto.

Sanae wandte sich ab und setzte sich auf eine Bank, zu ihren Kolleginnen und Kollegen. Masao fand, daß er noch nie ein so wunderbares Mädchen gesehen hatte. Jetzt sah er, wie ein junger Mann angeschlendert kam und sich neben Sanae setzte. Masao spürte plötzlich einen Stich der Eifersucht. Er wußte, wie albern es war. Er war ein gehetzter Verbrecher. Er lebte von einem Tag auf den andern. Er durfte nicht wagen, an etwas anderes zu denken als ans Überleben. Es war *seine* Fabrik, und diese Leute arbeiteten *für ihn*. Und doch war es eine Ironie des Schicksals, daß er sich nicht mal eine Scheibe Trockenbrot leisten konnte. Irgend jemand ließ achtlos ein halbes Sandwich auf der Bank liegen, und Masao mußte an sich halten, um nicht hinzurennen und es zu verschlingen. Die Glocke läutete. Es war Zeit, an die Arbeit zurückzukehren.

Sanae war sich sicher, daß irgend etwas nicht stimmte. Masao war ihr von Anfang an aufgefallen, gleich als er in die Fabrikhalle kam. Er hatte etwas Besonderes an sich, eine Art Stolz, der ihn von den anderen unterschied. Und es war offensichtlich, daß er kein gewöhnlicher Arbeiter war. Er war unglaublich geschickt. Sie versuchte herauszufinden, was sie an diesem jungen Mann beunruhigte. Er sah aus wie jemand, der bessere Dinge gewöhnt war, und doch lief er nun schon den zweiten Tag in den gleichen Klamotten herum. Und da war diese nervöse Unrast, die Sanae neugierig machte.

Und dann diese komische Sache, daß er nichts aß. Sanae hatte gesehen, wie er die anderen beobachtete, und sie hatte ihm den Hunger am Gesicht angemerkt. Sie wollte wirklich wissen, wer er war.

Masao hatte das Gefühl, daß Sanae ihn insgeheim musterte, aber jedesmal, wenn er sie anschaute, wandte sie rasch den Blick ab. Um drei Uhr war Kaffeepause, und die Arbeiter legten ihr Werkzeug fort und gingen hinaus, um sich beim Imbißwagen eine Erfrischung zu holen. Masao schlenderte zu einer leeren Bank und setzte sich. Er versuchte, den nagenden Hunger in seinem Bauch zu vergessen, und wartete darauf, daß die Glocke erneut klingelte und er wieder an die Arbeit gehen konnte. Im nächsten Moment stand Sanae neben ihm. Sie trug zwei Tassen Kaffee und zwei Doughnuts auf einem Tablett.

»Ich dachte, vielleicht könnten wir zusammen Kaffee trinken«, sagte sie. Masao schaute sie nachdenklich an. Er wollte schon ablehnen, aber die Versuchung war zu überwältigend.

»Herzlichen Dank«, sagte er höflich und nahm sich eine Kaffeetasse und einen Doughnut. Er wartete, bis Sanae in ihr Gebäckstück gebissen hatte, und führte dann erst seines an den Mund. Es war das beste, was er je gekostet hatte. Er wollte es verschlingen, aber er beherrschte sich. Er nahm einen Schluck Kaffee, und die heiße Flüssigkeit, die ihm durch die Kehle rann, schmeckte ebenfalls herrlich.

So saßen die beiden beieinander, aßen und tranken schweigend, und Sanae musterte Masao. Er hatte eine Intensität an sich, die sie noch nie an einem anderen Menschen beobachtet hatte. Er schien freundlich und offen, und doch spürte Sanae gleichzeitig, daß er ein sehr in sich gekehrter Mensch war.

»Woher kommst du?« fragte sie.

Masao zögerte einen kurzen Augenblick. »Tokyo«, sagte er dann. Sie würde niemals die Personalakte sehen, in der *Chicago* stand.

»Meine Eltern stammen aus Tokyo«, sagte Sanae.

»Bist du schon mal in Japan gewesen?«

»Nein.«

Masao seufzte, und ein bittersüßes Heimweh beschlich ihn. »Es ist das schönste Land der Welt.« Er fragte sich, ob er es jemals wiedersehen würde, ob er jemals seine Heimat wieder betreten würde.

»Das ist es sicherlich«, sagte Sanae. »Eines Tages hoffe ich hinzufahren.« Sie fragte: »Bist du mit deiner Familie hier?«

Wieder zögerte Masao. Er wollte sie nicht anlügen, aber die Wahrheit war zu gefährlich. »Ja«, sagte er. Und in einem gewissen, schrecklichen Sinn stimmte es. Seine Mutter und sein Vater waren bei ihm, sie waren auf ihn angewiesen. Sie würden keinen Frieden finden, solange er ihnen kein angemessenes Begräbnis verschaffen konnte.

Er schaute Sanae an und hatte ganz stark das Gefühl, daß sie beide sehr gute Freunde werden könnten. Nein, mußte sich Masao ehrlich sagen, mehr als gute Freunde. Aber es durfte nicht sein. Solche Träume waren für andere da, nicht für ihn. Er durfte nur an eines denken: ans Überleben.

Das Klingeln der Glocke bedeutete das Ende der Kaffeepause.

An diesem Abend konnte Masao sein Geldproblem lösen. In einer kleinen Nebenstraße, nicht weit von seinem Hotel, hatte er ein Pfandhaus entdeckt - mit drei Eisenkugeln über der

Tür. Der einzige Wertgegenstand, den Masao besaß, war die goldene Uhr, die sein Vater ihm zum achtzehnten Geburtstag geschenkt hatte. Sie war aus 21 karätigem Gold, aber für Masao lag ihr wahrer Wert in der Tatsache, daß sie ein Geschenk seines Vaters war. Nie im Traum wäre ihm eingefallen, sich von ihr zu trennen; aber jetzt hatte er keine andere Wahl. Er zögerte noch ein paar Minuten, dann ging er hinein und legte die Uhr auf die Theke.

»Dafür möchte ich Geld borgen«, sagte Masao. »Eines Tages komme ich wieder, um sie zu holen.« Wenn alles gutgeht, dachte er. Und wenn nicht - dann wäre er im Gefängnis oder tot, und es wäre auch egal.

Der Pfandleiher hob die Uhr auf und untersuchte sie mit einer Juwelierslupe. Er nickte wohlgefällig. »Eine schöne Uhr. Wieviel wollen Sie dafür aufnehmen?«

»Fünfhundert Dollar.«

Der Mann schüttelte den Kopf. »Zuviel.«

»Dreihundert Dollar.«

»Zweihundertfünfzig.«

»Einverstanden«, sagte Masao.

Das war mehr als genug, um mit dem Bus nach Kalifornien zu fahren. Lange hatte er nachgedacht, was er nun tun sollte, und war immer wieder zu einem Ergebnis gekommen: die Antwort auf sein Problem lag in Los Angeles, bei Kunio Hidaka.

Der Pfandleiher zählte das Geld auf die Theke und reichte Masao ein Stück Papier. »Das ist Ihr Pfandschein. Sie haben sechs Monate Zeit, ihn einzulösen. Danach verkaufe ich die Uhr.«

Sechs Monate! Masao war sich nicht mal sicher, ob er noch sechs *Tage* am Leben blieb. »Danke«, sagte er. »Ich komme wieder.«

Er warf einen letzten Blick auf seine Uhr. Dann steckte er das Geld ein und ging.

Masao machte sich auf den Weg zu einem japanischen Restaurant, das ein paar Straßenblocks von seinem Hotel entfernt war. Er mußte sich beherrschen, nicht loszurennen. Der bloße Gedanke an Essen ließ ihm die Spucke im Mund zusammenlaufen.

Er setzte sich, ganz schwach vor Hunger, und bestellte. Dann stopfte er sich voll mit Miso-Suppe und Onkatsu und Reis und Gemüse und zwei Portionen Krabben-Tempura . . . und frischem Obst als Nachtisch. Als Masao seine Mahlzeit beendet hatte, fühlte er sich wie ein neuer Mensch, bereit, es mit der ganzen Welt aufzunehmen.

Die nächsten Tage verliefen ruhig; so ruhig, daß Masao beinahe die Gefahr vergaß, in der er schwebte. Jeden Tag las er aufmerksam die Zeitung. Die Story, wie er den Chauffeur ermordet hatte und geflüchtet war, verschwand von der Titelseite auf die zweite Seite und schließlich in den Lokalteil der Zeitung. Masao atmete auf. Er hatte nicht mehr das Gefühl, im Lichte der Suchscheinwerfer zu stehen. Die Polizei hatte andere Dinge zu tun. Und Teruo würde es bald leid sein, ihn zu suchen.

Jeden Morgen stand Masao zeitig auf, frühstückte in einem kleinen Café in der Nähe seines Hotels und ging dann zur Arbeit. Jedesmal, wenn er die Matsumoto-Fabrik betrat, hatte er ein stolzes Gefühl. Er fühlte sich seinem Vater nah. Aber es gab noch einen anderen Grund, warum sich Masao auf die Arbeit freute – Sanae. Er dachte an sie am Abend, wenn er fern von ihr war. Er liebte es, neben ihr am Fließband zu stehen und sie bei der Arbeit zu beobachten.

Ihr fröhliches »Guten Morgen« war für Masao die schönste Art, den Tag zu beginnen. Sie schwatzten fröhlich miteinander, wenn der Vorarbeiter nicht herschaute, und sie hatten sich angewöhnt, die Mittags- und Kaffeepausen miteinander zu verbringen. Je öfter er Sanae sah, desto besser gefiel sie Masao.

Sie erzählte ihm von ihrer Familie. »Mein Vater und meine Mutter kamen in dieses Land, kurz bevor ich geboren wurde.«

»Darf ich fragen, was dein Vater von Beruf ist?«

»Er ist Kunstmaler.« Sanae verbesserte sich. »Er *war* Kunstmaler. Er kann nicht mehr malen, weil er Arthritis hat.«

»Ist das der Grund, warum du hier arbeitest?«

»Ja. Meine Eltern haben nur mich. Eigentlich wollte ich Medizin studieren. Vielleicht kann ich eines Tages doch noch zur Universität.« In ihrer Stimme war keine Spur von Selbstmitleid.

»Gefällt dir die Arbeit hier?« fragte Masao.

»Sehr. Außer, daß . . .« Sie deutete mit dem Kopf zum Vorarbeiter hinüber. »Er ist kein guter Mensch.«

»Das finde ich auch. Ohne ihn wäre es hier viel angenehmer.«

»Erzähl mir etwas von dir«, bat Sanae.

Es war eine so harmlose Frage. Und eine so gefährliche. Einen übermütigen Augenblick lang war Masao in Versuchung, ihr alles zu erzählen. Er sehnte sich verzweifelt nach jemandem, mit dem er sprechen, dem er sich anvertrauen konnte. Aber er wußte natürlich, daß es unmöglich war.

Also sagte Masao vorsichtig: »Da gibt es nicht viel zu erzählen. Ich interessiere mich für Elektronik. Ich dachte, hier könnte ich etwas lernen.«

Sanae schaute ihn verwundert an. »Ich habe dich beobachtet.«

»Oh?«

Sie blickte ihm in die Augen. »Du brauchst nichts mehr zu lernen.«

»Ich . . .« Die Versuchung, Sanae die Wahrheit zu sagen, war überwältigend, aber Masao wußte, daß er nicht nachgeben durfte. Um ihretwillen. Es war zu gefährlich. Noch wußte er nicht, wie er mit Teruo fertig werden sollte.

Jetzt hatte Masao ein neues Problem. Er wollte so gern mit Sanao ausgehen, sie zum Essen und ins Kino ausführen oder in eine Disko. Nur traute er sich nicht. Er hatte Angst, sich in der Öffentlichkeit zu zeigen, denn es bestand immer die Möglichkeit, daß jemand ihn erkannte. Und er wollte Sanae nicht in seine Schwierigkeiten hineinziehen.

Sanae ihrerseits war verwirrt. Masao schien sie gern zu haben, und er war offensichtlich gern mit ihr zusammen. Und doch bat er sie nicht um ein *date*. Sie hatte durchblicken lassen, daß sie keinen Freund hatte, und sie wußte, daß er mit niemand ging.

Aber er zeigte kein Interesse, sie außerhalb der Arbeit zu sehen. Er war der verwirrendste Junge, dem Sanae jemals begegnet war.

Dieses Problem wurde für die beiden von außen gelöst - und zwar durch die *New York Mets* und die *Philadelphia Phillies*.

Es gab nämlich einen öffentlichen Platz, wo sich Masao sicher fühlen konnte: das Baseball-Stadion. Dort versammelten sich Tausende von Menschen, und er konnte in der riesigen Menge untertauchen. Masao war ein begeisterter Baseball-Fan, und als er in der *New York Times* las, daß die Mets gegen die Philadelphia Phillies im Shea-Stadion spielten, konnte er nicht widerstehen. In beiden Mannschaften spielten einige seiner Helden mit, und Masao durfte die Chance nicht verpassen, sie in Aktion zu beobachten. Am nächsten Morgen stand er ganz früh auf und stellte sich in die lange Menschenschlange vor den Stadiontoren, um eine Karte zu kaufen.

Als Masao endlich an der Spitze der Schlange stand und der Kassierer fragte »wie viele?«, sagte Masao ohne zu überlegen: »Zwei.«

Er bezahlte seine Karten und ging. Er schüttelte über sich selber den Kopf; was ihm nur eingefallen war, zwei Karten statt einer zu kaufen! Aber er wußte es natürlich. Er wollte Sanae mitnehmen. Dann plagte Masao die Ungewißheit. Was war, wenn sie nicht mitkommen wollte? Was war, wenn sie sich nicht für Baseball interessierte, oder wenn sie eine andere Verabredung hatte? Den ganzen Vormittag quälte sich Masao mit solchen Überlegungen.

In der Mittagspause hockten Sanae und er unter den Bäumen im Park und ließen sich ihr Pausenbrot schmecken. Masao beschloß, vorsichtig auf das Thema loszusteuern. Aber statt dessen platzte er direkt heraus: »Ich habe zwei Karten für das Spiel der Mets morgen abend. Magst du Baseball?«

Sanae haßte Baseball. »Und wie!« sagte sie.

Sie beobachtete Masaos Gesicht, auf dem sich ein breites Lächeln ausbreitete. »Wunderbar! Die Mets spielen gegen die Philadelphia Phillies. Tug McGraw ist Werfer. Lee Mazzilli tritt zum erstenmal für die Mets an.«

Für Sanae war es, als erzählte er ihr vom Mars. »Oh, wie aufregend!«

Es war ihr egal, wohin Masao sie mitnehmen wollte. Sie wußte nur, daß sie gerne mit ihm zusammen war, daß er der attraktivste junge Mann war, den sie je kennengelernt hatte. Aber er hatte etwas in seinem Wesen, das sie nicht verstand - eine Angespanntheit, eine so sprungbereite Vorsicht, die nicht zu seinem Charakter paßte. Er schien dauernd auf der Hut vor irgend etwas oder irgend jemand zu sein. Manchmal schien er - der bloße Gedanke kam Sanae töricht vor - *Angst* zu haben. Sie wußte, daß irgend etwas ihn quälte, und sie hoffte nur, daß er eines Tages genug Vertrauen zu ihr haben würde, es ihr zu erzählen. Inzwischen war sie bereit, sich ein Dutzend Baseball-Spiele mit Masao anzusehen - wenn es ihn glücklich machte.

Das Shea-Stadion war rappelvoll. Masao konnte sich nicht erinnern, in seinem Leben schon so viele Menschen auf einem Haufen gesehen zu haben. Die Sportstadien in Japan waren groß, aber verglichen mit diesem hier waren sie nichts. All die großen Namen, von denen Masao seit Jahren gehört und gelesen hatte, waren auf dem Spielfeld versammelt. Er zeigte sie Sanae.

»Siehst du den großen Mann, der gerade aus der Kabine kommt? Das ist Steve Henderson, der Mittelfeldmann der Mets.«

»Ja, ich seh ihn«, sagte Sanae pflichtschuldig.

»Schau! Da ist Frank Taveris. Er ist einer der großen Stopper!«

Sanae nickte verständnisvoll. »Ah, ja.«

»Da kommt Craig Swann! Er ist der erste Werfer für die Mets.«

Das Spiel begann, und Masao konnte seine Augen nicht von der Baseball-Kugel abwenden. Sanae konnte ihre Augen nicht von Masao abwenden. Sie hatte nie jemanden so echt begeistert gesehen.

»Sieh nur!« rief Masao. »Das ist Greg Luzinski!«

»Sehr erfreut«, lächelte Sanae.

Das Wort *Fan* kommt von *fanatisch*, und Sanae kannte viele Baseball-Fans, die sich fanatisch für ihre Heim-Mannschaft begeisterten. Aber Masao feuerte *beide* Mannschaften an! Es war ihm egal, wer gewann. Es war das Spiel, das er liebte, der Sport als solcher, das Werfen und Schlagen und Rennen übers Feld.

Um so schockierender war für Sanae der ungewöhnliche Zwischenfall, der sich am Ende der neunten Runde ereignete. Das Spiel stand 2:2. Die Mets waren am Schlag, die Male waren besetzt, und zwei standen im Aus. Sogar Sanae, die sehr wenig vom Baseball verstand, erkannte, daß es ein aufregender

Moment war. Steve Henderson trat vor, um den Ball zu schlagen, und die Menge fing an zu toben. Alle sprangen auf, schrien und feuerten ihn an, damit er den Durchbruch schaffte, der für das Heim-Team den Sieg bedeutete.

Und genau in diesem entscheidenden Augenblick fuhr Masao zu Sanae herum, sein Gesicht war auf einmal ganz blaß, und er sagte: »Komm, laß uns von hier verschwinden!«

Bevor Sanae wußte, wie ihr geschah, wurde sie von der Tribüne zum Ausgang gezerrt. Sie konnte es nicht glauben. Gerade im aufregendsten Augenblick des Spiels mußte Masao gehen!

Tosend brüllte die Menge auf. Da war etwas los auf dem Spielfeld.

Sanae sagte: »Masao, willst du denn nicht sehen, was . . .?«

»Nein! Schnell!« Sein Gesicht war wild entschlossen, er lief schnell und riß sie mit sich fort.

Sanae drehte sich um und schaute zurück. Uniformierte Polizisten kreisten die Stelle ein, wo sie gerade noch gestanden hatten, und kämmten die Menge durch. Im nächsten Moment waren Masao und Sanae in dem Tunnel, der zum Ausgang führte. Masao eilte auf ein Taxi zu.

»Wolltest du nicht abwarten und sehen, wie das Spiel ausgeht?« fragte Sanae.

»Ist jetzt egal.«

Aber sie brauchte ihm nur ins Gesicht zu sehen, um zu wissen, daß es gar nicht so egal war. Daß etwas Furchtbares passiert sein mußte.

Am nächsten Morgen, bei der Arbeit, schien Masao wieder ganz der alte. »Tut mir leid, daß ich gestern vor dem Spielschluß gehen mußte«, sagte er wie beiläufig zu Sanae. »Die Mets haben gewonnen. Es war ein großartiges Spiel, nicht wahr?«

Er tat so, als wäre nichts geschehen. Sanae konnte es einfach nicht fassen. Sie hätte alles darum gegeben, zu erfahren, was Masao quälte, aber sie kannte ihn nicht gut genug, um ihn zu fragen. Sie wußte nur eines: sie wollte ihm helfen, was es auch sein mochte - wenn er ihr nur die Möglichkeit gab.

Ein paar Minuten vor der Mittagspause kam Mr. Heller, der Vorarbeiter, durch die Tür.

Sanae blickte auf und sagte: »Wir haben Besuch.«

Masao schaute auf. Und sah - Teruo Sato.

Siebtes Kapitel

Eine schreckliche Sekunde lang war Masao wie erstarrt, sein Körper und Geist waren gelähmt vor Angst. Sein erster Gedanke war, daß Teruo sein Versteck entdeckt hatte und gekommen war, ihn zu holen. Dann aber, als Masao genauer hinschaute, sah er, daß Teruo mit Mr. Heller durch die Fabrikhalle schritt, während dieser ihm irgend etwas erklärte. Sein Besuch, das erkannte Masao, hatte nichts mit ihm zu tun. Noch hatte Teruo ihn nicht gesehen, aber jeden Moment konnten sie sich gegenüberstehen. Masao faßte einen raschen Entschluß. Als Teruo und Heller sich seiner Montagebank zuwandten, machte Masao eine rasche Bewegung mit dem Ellbogen und stieß eine Schaltplatte auf den Boden. Im gleichen Moment ließ er sich auf Knie und Ellbogen fallen und begann, unter dem Tisch verborgen, die verstreuten Teile zusammenzusuchen.

»He! Paß auf, was du tust!« bellte Hellers Stimme.

»Tut mir leid«, murmelte Masao. Er kauerte am Boden und kehrte, während er die Teile aufsammelte, den beiden Männern den Rücken zu. Sein Herz pochte stürmisch, sein Atem ging stoßweise. Wenn sein Onkel ihn erkannte, konnte Masao nur noch davonrennen - aber er wußte, er würde nicht weit kommen. Ein Wort, und die anderen Arbeiter würden sich auf ihn stürzen. Er schaute auf und sah, daß Sanae ihn mit verwirrter Miene beobachtete. Sie hatte gesehen, daß er die Schaltplatte absichtlich vom Tisch gestoßen hatte.

»Sind sie schon fort?« flüsterte Masao.

Sanae spähte zur Tür gegenüber, wo die beiden Männer gerade verschwanden. »Sie sind fort.«

Langsam stand Masao auf. Er war schweißgebadet.

»Hast du irgendwelche Probleme?« fragte Sanae freundlich.

Er hatte schlimmere Probleme, als sie sich vorstellen konnte! »Nein«, sagte Masao. »Ich hatte . . . es war nur ein Mißgeschick.«

Sogar für seine Ohren klang die Ausrede schwach. Sanae schaute ihn wortlos an, ihre sanften braunen Augen boten ihm Hilfe und Freundschaft an.

Masao zwang sich, weiterzuarbeiten, aber das falsche Gefühl der Sicherheit, das er gehabt hatte, war verschwunden. Statt dessen empfand er nackte Wut. Teruo Sato machte die Runde durch sein neues Firmenimperium und tat so, als gehöre es ihm. Und es *würde* ihm gehören, wenn Masao erst aus dem Weg geräumt war. Masao fühlte sich hilflos wie noch nie im Leben.

Jedesmal, wenn die Tür aufging, schaute er sich gehetzt um. Teruo konnte jeden Moment wiederkommen. Sanae bemerkte Masaos merkwürdiges Verhalten, aber sie sagte nichts. Sie beobachtete ihn und hoffte, daß er ihr etwas erklären würde. Sie wollte ihm helfen, aber sie schwieg. Er spürte, daß sein Schweigen sie verletzte, aber er konnte nichts dagegen tun. Dies war sein Problem, ganz allein seines.

Teruo kam an diesem Nachmittag nicht wieder, auch nicht am nächsten Tag oder am übernächsten, und Masao konnte wieder freier atmen. Es war nur ein kurzer Kontroll-Besuch in der Fabrik gewesen. Teruo hatte offenbar keine Ahnung, daß Masao hier war. Und es war unwahrscheinlich, daß Teruo noch einmal zurückkehren würde. Irgendwie, dachte Masao, kann ich mich sicherer fühlen als vorher.

Am Freitag war Zahltag. Er würde seinen Lohn abholen und

sich auf den Weg nach Kalifornien machen. Der Gedanke, Sanae zu verlassen, tat ihm weh. Er wußte, sie würde ihm sehr fehlen. Und er mußte ohne ein Wort der Erklärung verschwinden, wie ein Dieb in der Nacht. Vielleicht, eines Tages, konnte er es ihr erklären.

Falls er am Leben blieb.

Am Freitagnachmittag, nach Feierabend, stellten sich die Arbeiter in einer langen Reihe vor dem Kassenschalter auf, um ihren Wochenlohn in Empfang zu nehmen. Sanae stand ganz vorne. Masao stand ein paar Plätze hinter ihr. Er sah, wie jemand Sanae einen Umschlag mit ihrem Lohn in die Hand drückte - und ein Blatt Papier. Sie starrte auf das Papier und wurde blaß.

Rasch drehte sie sich um, lief auf Masao zu und flüsterte ihm ins Ohr: »Du mußt von hier verschwinden!«

Er starrte sie erschrocken an. »Was?«

»Schnell. Komm mit.«

Sie drehte das Blatt Papier in der Hand, so daß Masao es sehen konnte. Es war sein Foto, mit einer Überschrift, die besagte: GESUCHT! HOHE BELOHNUNG! Dieser Zettel wurde an alle Arbeiter in der Fabrik verteilt.

Sanae packte Masao am Arm. So natürlich wie möglich versuchten die beiden sich umzudrehen und schlenderten auf eine Seitentür zu, die auf den Hof hinausführte. Masaos erster Gedanke war, davonzurennen, aber er wußte, daß dies sein Untergang wäre. Er hatte die ganze Woche mit diesen Leuten zusammengearbeitet. Sie kannten alle sein Gesicht. Jeden Augenblick konnten sie ihn wiedererkennen. Er zwang sich, langsam zu gehen, und rechnete jeden Moment damit, eine Stimme schreien zu hören: *Da ist er! Haltet ihn!* Aber sie erreichten die Tür und waren vorläufig in Sicherheit.

»Ich muß dich hier verlassen«, sagte Masao atemlos. Er hatte keine Ahnung, wo er sich verstecken konnte. Er war sicher, daß Teruo sein Foto in jeder Matsumoto-Fabrik des Landes verteilen ließ. Jetzt gab es keinen Ort mehr, wo er sicher war.

»Wohin willst du gehen?«

»Ich weiß nicht.«

Sie gingen über den Hof, weg von der Fabrik.

»Ich nehme dich mit nach Hause«, sagte Sanae. »Dort werden sie dich niemals suchen.«

Masao schüttelte den Kopf. »Ich kann dich da nicht hineinziehen.«

Sanae sagte schlicht: »Ich *stecke* schon drin.«

Masao schaute sie an und verstand kein Wort. Zu sehr kreisten seine Gedanken um die Frage des Überlebens.

»Bitte, komm mit mir.«

»Nein.« Masao blieb vor ihr stehen. Jetzt war es Zeit, die Wahrheit zu sagen. »Ich werde von der Polizei gesucht.« Er holte tief luft. »Wegen Mordes.«

Sie musterte ihn eine Weile. »Bist du schuldig, Masao?«

»Nein.«

Sanae lächelte. »Das hab ich auch nicht geglaubt.« Sie nahm seine Hand. »Gehen wir.«

Sanae wohnte mit ihren Eltern in einem alten Apartmenthaus, eine Meile von dem Hotel entfernt, wo Masao abgestiegen war. Die Wohnung war klein, hübsch eingerichtet und sauber, und überall sah man japanische Kunstgegenstände. An den Wänden hingen wunderschöne Landschaftsgemälde, und Masao erinnerte sich, daß Sanae gesagt hatte, ihr Vater sei Kunstmaler.

Sanaes Eltern saßen im Wohnzimmer, als Sanae und Masao hereinkamen. Mr. und Mrs. Doi waren schon viele Jahre in Amerika, aber Masao hatte das Gefühl, daß sie noch immer an den japanischen Traditionen festhielten. Als Masao ihnen vorgestellt wurde, verneigten sie sich mit altmodischer Höflichkeit. Masao fand, daß Sanae ganz wie ihre Mutter aussah, die immer noch eine schöne Frau war und eine zierliche Figur hatte. Sanae würde, wenn sie alt war, genauso hübsch aussehen. Als Masao die beiden betrachtete, war es ihm, als blicke er in einen Spiegel der Zukunft. Mr. Doi war ein schmächtiger Mann mit einem hageren, sensiblen Gesicht. Masao bemerkte seine gichtknochigen Hände und dachte, wie schade es war, daß er nicht mehr diese wunderschönen Bilder malen konnte.

Sanae sagte zu ihren Eltern: »Mein Freund, Masao, hat Schwierigkeiten, aber es ist nicht seine Schuld.« Zu Masao gewandt, sagte sie: »Erzähle es ihnen.«

Jetzt saß Masao in der Falle. Er konnte es ihnen *nicht* erzählen - nicht die Wahrheit. Er konnte nicht zugeben, daß er Masao Matsumoto war, denn es hätte seine Seele mit Scham erfüllt, vor Fremden über die dunklen Vorgänge zu sprechen, die sich in seiner Familie abspielten. Es war eine rein private Angelegenheit.

Sie schauten ihn erwartungsvoll an. Sanae vertraute ihm, und er würde sie wieder anlügen müssen - und auch ihre Eltern. Sie würde ihm nie wieder vertrauen können. Es schmerzte Masao mehr, als er sich vorstellen konnte, aber es blieb ihm keine andere Wahl. Er versuchte, sich an die Geschichte zu erinnern, die er Sanae früher einmal erzählt hatte. Lieber an einer alten Lüge festhalten, als sich in ein Netz neuer Lügen zu verstricken.

»Ich bin mit meinen Eltern nach Amerika gekommen«, sagte Masao. »Es war eine kurze Geschäftsreise, und wir wollten gleich wieder nach Tokyo zurückkehren. Aber mir gefiel dieses Land so gut, und ich sagte meinem Vater, daß ich hierbleiben wollte. Wir kriegten einen furchtbaren Streit, und ich lief fort.« Masaos Gedanken überstürzten sich, während er seine Geschichte erfand. »Mein Vater heuerte einen Mann an, der mich zurückbringen sollte. Wir hatten einen Kampf, der Mann glitt aus und stürzte vom Dach. Er starb. Darum sucht mich die Polizei.«

Es entstand ein langes Schweigen. Endlich sagte Sanaes Vater: »Hmmm . . . welch ein Pech. Du hattest nichts zu tun mit dem Tod des Mannes?«

»Nein, Sir. Nichts. Es war ein Unfall.« Dies letzte, wenigstens, war die Wahrheit.

»Dann mußt du zur Polizei gehen und alles aufklären.«

Masao schüttelte den Kopf. »Wenn ich das tu, Sir, wird mein Vater mich zwingen, nach Japan zurückzukehren.«

Mr. Doi warf seiner Tochter und seiner Frau einen langen Blick zu und sagte: »Darüber müssen wir sorgfältig nachdenken.«

Zur gleichen Zeit herrschte im Büro des Personalchefs in der Matsumoto-Fabrik große Aufregung. Watkins, der Personalchef, und der Vorarbeiter Heller sprachen mit Sam Collins, dem Privatdetektiv, den Teruo angeheuert hatte, um Masao aufzuspüren. Die drei Männer betrachteten Masaos Foto.

»Sind Sie sicher, daß er es ist?« fragte Sam Collins. »Sind Sie absolut sicher?«

»Da gibt's gar keinen Zweifel«, sagte Watkins aufgeregt. »Ich habe ihn letzte Woche eingestellt. Er . . .«

Heller fragte gierig: »Ist eine große Belohnung ausgesetzt?«

»Eine sehr große«, sagte Sam Collins. Er strich sich mit den Fingern über seine gebrochene Nase. »Haben Sie eine Idee, wo er sich aufhalten könnte?«

Watkins schüttelte den Kopf. »Nein. Die Arbeiter haben erzählt, als er sein Foto sah, ist er davongelaufen. Er nahm sich nicht mal die Zeit, seinen Lohn abzuholen.« Sein Gesicht fing an zu strahlen. »Heh! Wahrscheinlich wird er wiederkommen, um seinen Lohn zu holen, und dann können wir . . .«

Der Detektiv schnaubte verächtlich. »Machen Sie sich nicht lächerlich. Er ist viel zu intelligent, um sich hier noch mal blicken zu lassen.«

»Warten Sie!« rief Heller. »Ich glaube, ich weiß, wie wir ihn erwischen könnten.«

Die beiden Männer sahen ihn erwartungsvoll an.

»Er war mit einem unserer Mädchen befreundet, mit Sanae Doi. Jemand hat sie gesehen, wie sie zusammen fortgingen. Vielleicht kann sie uns sagen, wo er steckt.«

Das Gesicht des Detektivs heiterte sich auf. »Wissen Sie, wo die kleine Doi wohnt?«

»Kein Problem.« Watkins ging zu einem Aktenschrank, riß die Tür auf und ließ die Karteikarten durch seine Finger gleiten. »Da haben wir's . . . Sanae Doi.« Er gab dem Detektiv die Adresse.

»Sie werden die Belohnung nicht vergessen?« mahnte Heller ihn.

»Falls ich ihn finde«, sagte Sam Collins langsam, »sind wir alle reich.« Im nächsten Moment war der Detektiv gegangen.

Ohne die drohende Gefahr zu ahnen, saßen Masao, Sanae und ihre Eltern in der Wohnung der Familie Doi beisammen und hielten eine Beratung ab.

»Ich halte es trotzdem für das beste«, beharrte Mr. Doi, »wenn du zur Polizei gehst und ihnen die Wahrheit sagst. Es ist doch nicht so schlimm, mit deinen Eltern nach Japan zurückzukehren. Sie müssen sich schreckliche Sorgen machen.«

Masao hatte sich schon so tief in seine Lügen verstrickt, daß er nicht mehr zurück konnte. Er konnte es einfach nicht erklären. »Ich kann nicht nach Hause fahren. Vielleicht später einmal. Jetzt nicht.«

»Ich muß meinem Mann beipflichten«, sagte Mrs. Doi. »Ausreißen ist keine Lösung, es schafft nur Probleme.«

Masao sah Sanae an, die schweigend zugehört hatte. Sie wünschte nicht, daß Masao nach Japan zurückkehrte, aber sie wollte auch nicht, daß er in Schwierigkeiten geriet. Und sie hatte irgendwie das Gefühl, daß die Situation schlimmer war, als Masao zugeben wollte. Niemand würde sich die Mühe machen, Masaos Foto an alle Arbeiter in der Fabrik zu verteilen, wenn nicht mehr hinter der Geschichte steckte. Viel mehr. Aber sie glaubte an Masao.

Sanae sagte: »Ich glaube, Masao weiß am besten, was gut für ihn ist. Er sollte für sich selber entscheiden.«

Masao war dankbar, daß sie auf seiner Seite stand. »Ich habe einen Freund in Kalifornien«, sagte er. »Wenn ich ihn erreichen könnte, würde er mir helfen, da bin ich mir sicher.«

»Ist es jemand, dem du vertrauen kannst?« fragte Mr. Doi.

»Ja, Sir. Er heißt Kunio Hidaka. Er arbeitet für . . .« Masao hätte beinahe gesagt, *für meinen Vater*, aber er besann sich gerade noch rechtzeitig. »Er arbeitet für Matsumoto Industries.« Welch einen Schnitzer hätte er beinahe gemacht!

Mr. Doi saß da und dachte nach. »Hier in der Gegend fahndet die Polizei nach dir. Dein Problem ist also: wie kommst du unbemerkt aus New York heraus?«

»Ja, Sir. Es wird sehr schwierig sein.«

»Es gibt einen Weg, wie es gelingen könnte«, sagte Mr. Doi.

Masao beugte sich aufgeregt vor. »Und wie, Sir?«

In diesem Augenblick klopfte es laut an die Wohnungstür. »Aufmachen!« brüllte eine Stimme. »Polizei!«

Masao wurde starr vor Angst. Die anderen wechselten besorgte Blicke.

»Rasch«, flüsterte Sanae. »Ins Schlafzimmer!«

Masao sprang auf und betrachtete seine drei neuen Freunde. »Ich möchte niemanden hereinziehen in diese . . .«

»Ins Schlafzimmer! Schnell!«

»Machen Sie auf!«

Masao zögerte eine Sekunde, dann drehte er sich um und rannte ins Nachbarzimmer. Als er verschwunden war, ging Sanae zur Wohnungstür und machte auf. Sam Collins stürmte herein und schob sie zur Seite.

»Wo ist er?« fragte der Detektiv.

Mr. Doi antwortete ruhig: »Wo ist wer?«

»Das wissen Sie verdammt genau.« Der Detektiv zückte seine Marke. »Ich bin Detektiv. Ich suche diesen Jungen«. Er zog Masaos Foto hervor und hielt es Sanao vor die Nase. »Sie haben ihn mit nach Hause gebracht, nicht wahr?«

»Nein«, sagte Sanae. »Das hab ich nicht.«

Der Detektiv funkelte sie wütend an. »Ich weiß, daß ihr zusammen die Fabrik verlassen habt. Ich habe ein Dutzend Zeugen dafür.«

»Das ist richtig, wir sind zusammen fortgegangen«, sagte Sanae ruhig. »Und dann hat er sich verabschiedet.«

»Sich verabschiedet? Wohin ist er gegangen?«

»Keine Ahnung.«

Sam Collins starrte sie ungläubig an. »Sie haben wohl nichts dagegen, wenn ich mich mal umsehe.«

Mr. Doi erhob sich. »Ich habe allerdings etwas dagegen, Sir. Dies ist eine Privatwohnung. Sie haben kein Recht, hier einzubrechen.«

Aber der Privatdetektiv hörte gar nicht zu. Teruo Sato hatte ihm ein Vermögen versprochen, wenn er Masao fand, und das würde er sich nicht entgegen lassen. Weder diese Leute hier noch sonst jemand konnte ihn aufhalten. Er zog seine Pistole, schob den alten Mann beiseite, riß die Schlafzimmertür auf und stürmte, mit der Pistole fuchtelnd, hinein.

Sanae und ihre Eltern standen starr vor Schrecken. Sie erwarteten, jeden Moment ein Gepolter, einen Schrei, einen Schuß zu hören. Sanaes Phantasie arbeitete fieberhaft. Der Detektiv hatte Masao entdeckt und ihn bewußtlos geschlagen . . . Masao hatte versucht zu fliehen, und den Detektiv getötet . . . Die beiden Männer kämpften auf Leben und Tod.

Sanae glaubte, das Schweigen nicht mehr ertragen zu können. Und dann kehrte Sam Collins ins Wohnzimmer zurück. Allein. Er steckte seine Pistole weg, sein Gesicht verriet seine Enttäuschung.

»Sind Sie sicher, daß Sie ihn nicht mit nach Hause gebracht haben?« fragte er Sanae.

Sie versuchte, ihre Erleichterung zu verbergen. »Es ist, wie ich Ihnen sagte. Er hat sich verabschiedet.«

Der Detektiv blickte frustriert in die Runde. Sein Gefühl sagte ihm, daß der Junge hier war. »Hat er Ihnen nicht verraten, wohin er gehen wollte?«

Sanae überlegte einen Moment. »Er sagte so irgend etwas . . .«

»Was?« Seine Stimme drängte begierig.

»Er sagte, er hätte einen Freund.«

»Ja?«

»Und daß er ihn besuchen wollte.«

»Sagte er, wo sein Freund wohnt?«

»Nur, daß er in einer Disko in Brooklyn arbeitet.«

»Brooklyn, hä? Okay. Danke.«

Im nächsten Moment war Sam Collins aus der Wohnung gestürmt. Sanae und ihre Eltern rannten ins Schlafzimmer. Aber da war niemand. Sie suchten im Gästezimmer und im Bad. Alle Zimmer waren leer. Sanae trat ans Fenster, das auf die Feuerleiter führte, und beugte sich hinaus. Auch dort keine Spur von Masao.

»Er ist fort«, sagte Mr. Doi.

Die Worte fielen schwer auf Sanaes Herz. Sie wußte, sie würde ihn nie wiedersehen.

Achtes Kapitel

Teruo Sato hockte in seinem Sessel und hörte sich den Bericht des Privatdetektivs an.

»Ich habe alle Diskotheken in Brooklyn abgesucht, aber keine Spur von ihm gefunden.«

»Das Mädchen hat Sie hereingelegt«, sagte Teruo ruhig.

Sam Collins war überrascht, wie sein Auftraggeber die Sache aufnahm. Er hatte geglaubt, Sato würde anfangen zu toben.

Statt dessen sagte Teruo Sato: »Machen Sie sich deswegen keine Sorgen. Mein Neffe wird binnen vierundzwanzig Stunden in Ihrer Hand sein.«

Sam Collins starrte ihn an. »Sie meinen, Sie wissen, wo er ist?«

Teruo schüttelte den Kopf. »Nein. Aber ich werde es wissen. Bleiben Sie in der Nähe Ihres Telefons. Ich werde Ihnen sagen, wo Sie ihn finden können.« Seine Stimme wurde eisig. »Diesmal erwarte ich von Ihnen, daß Sie nicht versagen.«

»Nein, Sir, ich . . .«

»Das ist alles.«

Sam Collins war entlassen. Sein Leben lang hatte er mit gefährlichen Männern zu tun gehabt, mit Rowdys und Mördern und Psychopathen und Sadisten. Aber dieser leise sprechende, ruhige Mann strahlte eine tödliche Kälte aus, die ihn frösteln ließ.

»Ich erwarte also Ihren Anruf«, sagte Sam Collins.

Lange nachdem der Detektiv gegangen war, saß Teruo Sato immer noch da, reglos wie eine Statue. Bislang hatte sein Neffe alle seine Züge gekontert. Teruo hatte ihm Schach geboten - aber Masao hatte sich niemals mattsetzen lassen.

Aber Teruo hatte bereits eine Lösung für das Problem. Er würde Masao mit Hilfe der Logik aufspüren - nicht seiner eigenen Logik, sondern mit einer höheren Logik. Er würde einen Computer einsetzen, um Masao zu fangen - einen Matsumoto-Computer.

Diese Ironie machte Teruo Spaß. Er griff zum Telefon, traf die nötigen Verabredungen und war eine Stunde später in der Computer-Abteilung der Matsumoto-Fabrik, um mit dem Operator zu sprechen. Teruo erklärte genau, was er wollte, und der Operator machte sich daran, die Daten in die Maschine einzufüttern.

Teruo schilderte Masaos Gewohnheiten, seine Hobbys, seine Vorlieben und Abneigungen. Sie hatten miteinander Schach gespielt, und Teruo wußte, wie das Hirn seines Neffen arbeitete, wie er dachte und reagierte. Auch das wurde weitgehendst in den Computer eingefüttert.

»Kommen Sie in zwei Stunden zurück, Mr. Sato«, sagte der Operator, »dann werde ich alle Informationen haben, die Sie brauchen.«

»Sehr gut.«

Teruo stand auf und ging hinaus. Er schlenderte durch die riesige Fabrik und dachte: Das alles gehört mir - genau wie alle anderen Matsumoto-Fabriken auf der Welt. Sie gehörten ihm. Er hatte sie sich verdient. Er hatte schwere Auseinandersetzungen mit Sachiko gehabt, aber schließlich hatte er seine Frau überzeugt, daß er das Richtige tat.

Er hatte ihr nicht erzählt, daß Higashis Tod nur ein Unfall war. »Masao hat ihn ermordet«, hatte er gesagt, und das hatte mitgeholfen, Sachiko noch mehr zu überzeugen.

Es war ein Fehler gewesen, der Polizei zu sagen, Masao habe Higashi ermordet. Er hatte es nur gesagt, weil er wollte, daß die Polizei ihm half, Masao rasch ausfindig zu machen. Aber inzwischen bereute er es. Er wollte nicht, daß Masao der Polizei in die Hände fiel. Er wollte, daß er ihm selbst auf Gedeih und Verderb ausgeliefert war. Darum hatte er den Privatdetektiv angeheuert, der ihm den Jungen persönlich in die Hand liefern würde. Diesmal würden keine Fehler passieren. Computer machen keine Fehler.

Zwei Stunden später kehrte Teruo in den Computerraum zurück.

Der Operator blickte auf. »Ich habe alles für Sie bereit«, sagte er. »Hier sind alle Informationen, die Sie brauchen.«

»Hervorragend. Vielen Dank.«

»Gern geschehen, Mr. Sato.«

In seinem eigenen Büro studierte Teruo den Computer-Ausdruck sehr genau. Alle Vorlieben und Abneigungen und Hobbys seines Neffen waren ausgewertet. Masao liebte Hamburger und Pizzas. Also würden Privatdetektive solche Lokale beschatten. Er mochte Flipper-Maschinen. Also würden die Spielhallen bewacht werden. Er spielte gern Bowling. Sein Foto würde in jeder Bowling-Bahn und bei jeder Sportveranstaltung verteilt werden. Masao war ein Fan amerikanischer Cowboy-filme und Italo-Western. Die Kinos, die solche Streifen spielten, würden durchsucht werden. Privatdetektive würden alle Flughafen, Bahnhöfe und Busstationen beobachten. Es gab keine Möglichkeit, wie Masao die Stadt lebendig verlassen konnte. Der Computer hatte ihn eingekesselt.

Zwei letzte Angaben fand Teruo auf dem Ausdruck, die ihn besonders interessierten: *Der Gesuchte wird zunehmend das Bedürfnis haben, sich unauffällig zu machen. Wird wahrscheinlich versuchen, sich im Japaner-Viertel zu verstecken. Höchste statistische Wahrscheinlichkeit: Japanische Kolonie in*

Greenwich Village. Sollte dem Gesuchten die Flucht aus New York gelingen, ist höchste statistische Wahrscheinlichkeit Los Angeles oder San Francisco.

Lange grübelte Teruo über diesen letzten beiden Angaben. Er lehnte sich in seinen Sessel zurück, um nachzudenken - es war ein geistiges Schach mit Masao. Er versetzte sich an die Stelle seines Neffen. Wenn er Masao wäre - was wäre sein nächster Zug? Wie würde er versuchen, aus New York herauszukommen? Und plötzlich fand Teruo die Lösung, die er gesucht hatte. Es war so einfach. Er selbst würde Masao helfen, zu fliehen.

Es gab keinen Ort, wo Masao sich verbergen konnte. Die Fahndung nach ihm konzentrierte sich auf New York. Masao wußte, daß er einen Weg finden mußte, die Stadt so schnell wie möglich zu verlassen. Er dachte daran, wie der Detektiv in die Wohnung der Familie Doi eingebrochen war, und er war verzweifelt, weil er Sanae und ihre Eltern in sein Problem hineingezogen hatte. Sanae hatte keine Ahnung, wer er war, und doch hatte sie keine Mühe gescheut, ihm zu helfen. Masao hatte das Gespräch zwischen Sanae und dem Detektiv nicht zu Ende angehört. Sein Gefühl sagte ihm, daß er schleunigst verschwinden mußte, und er war über die Feuerleiter geflohen. Er hatte auch nicht gewagt, in sein Hotel zurückzukehren. Die Fahndung konzentrierte sich wahrscheinlich auf dieses Stadtviertel. Und es war so leicht, ihn zu finden. Wie konnte sich ein japanisches Gesicht in einer rein weißen Nachbarschaft verstecken? Auf einmal wußte Masao, was er zu tun hatte. Er mußte ins Japaner-Viertel von Greenwich Village fahren.

Er nahm die U-Bahn und war überrascht von dem Lärm und dem Schmutz und der Grobheit der Menschen. In Tokyo war die Untergrundbahn sauber und leise, und die Fahrgäste waren höflich. Der Zug hielt in Greenwich Village, und Masao stieg aus. Sanae hatte ihm einmal vom Japaner-Viertel im Village erzählt, aber er wußte nicht genau, wo es sich befand.

Er hielt einen Botenjungen auf dem Fahrrad an und fragte: »Entschuldige. Ich suche das Japaner-Viertel. Kannst du mir sagen, wo es ist?«

»Yeah«, sagte der Junge. »Geh einfachdreimeilendiestraßelangunddannlinksbis zur Blaker Street.«

Der Junge verschwand, und Masao hatte kein Wort verstanden. Er stand gerade vor einem Kaufhaus. Er ging hinein und suchte, bis er einen Stadtplan von New York gefunden hatte. Rasch schlug er nach und fand auch gleich, was er suchte. Es war nicht mehr weit.

Masao lief die 10th Street hinab, und schon sah er japanische Firmenschilder und Reklametafeln an den Hauswänden. Er war beruhigt. Hier würde er nicht so sehr auffallen.

Natürlich rechnete Teruo damit, daß er sich hier verstecken würde, wo er sich sicher fühlte. Er würde Detektive losschikken, um alle Hotels und Pensionen in dieser Gegend zu durchsuchen und auf den Straßen nach ihm Ausschau zu halten. Sie würden Masao in Hamburger-Restaurants und Pizzerias und Kinos mit Italo-Western suchen. Aber so leicht würde er sich nicht schnappen lassen. Er würde Teruo überlisten. Er würde sich im Village verstecken, aber nicht an solchen Orten, wo Teruo ihn vermutete und nach ihm suchte.

Masao lief durch die Straßen, vorbei an Pizzerias und Hamburger-Buden und Spielhallen. Er ließ sie alle links liegen. Er entdeckte einen Delikatessen-Laden und kaufte sich ein paar Sandwiches, die er in einer Papiertüte mitnahm. Er lief an Nacht-Kinos vorbei, die Cowboy-Filme zeigten, und an anderen, wo Italo-Western liefen. Er marschierte immer weiter, bis er vor einem kleinen Nachtkino in der Bleeker Street stand, wo ein französischer Film gezeigt wurde. Masao schaute sich um, ob ihn auch niemand beobachtete, dann kaufte er sich eine Karte und ging hinein. Er verstand kein Wort Französisch, aber das war seine Sicherheit. Hier würden sie ihn nicht suchen. Er starrte auf die Leinwand, ohne ein Wort zu verstehen, und kaute sein Sandwich. Es war eine Doppelvorstellung, und als der eine Film zu Ende war, fing ein anderer an - aber Masao war schon eingeschlafen. Am gefährlichsten war es für ihn nachts auf den Straßen, weil dann so wenige Menschen unterwegs waren. Tagsüber konnte er in der Menge untertauchen.

Frühmorgens erwachte er, steif und verkrampft. Auf der Leinwand liebte der gleiche Mann noch immer das gleiche Mädchen. Masao schien es, als ob die Franzosen an nichts außer Liebe dachten, und da fiel ihm Sanae wieder ein. Eines Tages, wenn er in Sicherheit war, würde er sie anrufen und ihr dafür danken, was sie für ihn getan hatte.

Masao trat auf die Straße hinaus und blinzelte in die grelle Sonne. Die Menge drängte sich auf den Bürgersteigen, und er ließ sich im Strom der Passanten treiben - immer wachsam nach Polizisten Ausschau haltend. Er wußte, daß er sich nicht lange in dieser Gegend aufhalten durfte. Es war zu gefährlich. Er war überzeugt, daß sein Onkel alle Bus-Stationen, Flughäfen und Bahnhöfe überwachen ließ. Also mußte er einen anderen Weg finden. Masao hatte gehört, daß ältere Leute manchmal einen jungen Mann suchten, der sie mit ihrem Auto quer übers Land chauffierte. Könnte er so jemand finden - das wäre der beste Weg, um aus New York wegzukommen.

An einem Kiosk an der Straßenecke kaufte sich Masao die *Daily News* und die japanische *O. C. S. News.* Er ging in ein Café und ließ sich nieder, um den Anzeigenteil zu studieren. In der *Daily News* fand er nichts, aber in der japanischen Zeitung entdeckte Masao etwas, das sein Herz höher schlagen ließ. In der Spalte ›Hilfe gesucht‹ las er: *Ältere Japanerin sucht jungen Mann, der sie nach Los Angeles fährt. Alle Spesen werden bezahlt.* Das war eine Chance, die der Himmel ihm sandte. Die Aussicht, nach Los Angeles zu fahren und Kunio Hidaka zu sehen, gab Masao neue Hoffnung. Vorsichtig riß er die Anzeige aus, schlug im Stadtplan nach, den er gekauft hatte, und fand auch gleich die in der Anzeige angegebene Adresse.

Er machte sich sofort auf den Weg. Er war voller Freude - und ganz sicher, daß die Dame ihn nehmen würde. Wahrscheinlich war sie alt und gebrechlich. Er würde sie gut nach Los Angeles bringen. Danach würde er sich um seine eigenen Angelegenheiten kümmern. Er würde seinen Onkel büßen lassen für den schrecklichen Anschlag, den er gegen ihn und gegen die Firma Matsumoto geplant hatte. Und wenn Masao nichts anderes erreichte, als die Familienehre zu rächen!

Zehn Minuten später stand Masao vor einem alten Apartmenthaus mit Sandsteinfassade. Er überflog noch einmal die Annonce: Apartment 1 B. Masao warf einen raschen Blick auf seine Kleider. Sie waren zerknittert von der Nacht im Kinosessel, und seine Schuhe waren staubig. Er rieb sie an seinen Hosenbeinen blank, holte tief Luft und ging hinein. Er war wahnsinnig aufgeregt. Die Dame *mußte* ihn anheuern. Sein Leben hing davon ab. Lange blieb er vor dem Apartment 1 B stehen - dann klopfte er an die Tür. Es öffnete eine ältere Japanerin, bekleidet mit dem traditionellen Kimono. »Was kann ich für Sie tun?« fragte sie.

»Ich komme wegen Ihrer Annonce in der Zeitung«, sagte Masao.

Sie musterte ihn einen Augenblick, dann sagte sie: »Ah, bitte. Kommen Sie herein.«

So weit, so gut!

Masao trat ins Apartment ein. »Sie suchen jemand, der Sie nach Kalifornien fährt?«

Die alte Frau nickte. »Ja. Ich habe ein Auto, aber ich kann nicht fahren.«

Masao sagte: »Ich kann Ihnen helfen. Ich hoffe, Sie werden mir erlauben, Sie nach Los Angeles zu fahren.«

Eine Männerstimme hinter Masao sagte: »Das ist aber mächtig nett von dir, Junge.«

Masao erkannte die Stimme sofort. Das letztemal hatte er sie in Sanaes Wohnung gehört.

Er drehte sich um und erblickte - Sam Collins. Der Privatdetektiv hielt eine Pistole in der Hand und zielte auf Masao.

Masao sagte: »Wie haben Sie nur . . .?« Und mit einem lähmenden Gefühl wurde ihm plötzlich klar, daß er in eine Falle getappt war. Teruo hatte ihn überlistet! Sein Onkel hatte gewußt, daß Masao verzweifelt versuchte, aus New York wegzukommen, und daß alle anderen Wege für ihn blockiert waren. Das einzig mögliche Fluchtmittel war ein Auto, und da Masao keine Kennkarte hatte und deshalb kein Auto mieten konnte, mußte er sich einen anderen Ausweg einfallen lassen. Und Teruo hatte ihm diesen Ausweg gezeigt. Er hatte die Annonce in der *O. C. S. News* aufgegeben, der einzigen japanischen Zeitung in New York, und es war genau das, was Masao brauchte.

Und Masao hatte den Köder geschluckt. Insgeheim verfluchte er sich, weil er so leichtgläubig gewesen war, aber jetzt war es zu spät.

Masao wandte sich an den Privatdetektiv. »Ich habe nichts Unrechtes getan«, sagte er. »Der Tod des Mannes war ein Unf . . .«

»Spar dir die Worte!« Die Pistole in der rechten Hand, griff Sam Collins mit der Linken in die Tasche, zog einen Hundert-Dollar-Schein heraus und reichte ihn der alten Frau. »Sie haben Ihre Sache gut gemacht. Danke.« Und zu Masao gewandt: »Los, geh'n wir, Kleiner.«

»Hören Sie mich doch an. Bitte!«

»Mach mir keine Schwierigkeiten. Du bist verhaftet.«

»Bringen Sie mich zum Polizeirevier?«

»Allerdings.« Sam Collins winkte mit der Pistole zur Tür. »Hinaus!« sagte er. »Beweg dich!«

Die alte Frau wandte sich ab, als könnte sie sich von dem Geschehnis distanzieren, indem sie einfach wegschaute. Masao konnte ihr keinen Vorwurf machen. Hundert Dollar waren wahrscheinlich ein Vermögen für sie, und sie wußte gar nicht, in welche Gefahr sie Masao damit gebracht hatte. Sie hatte nichts mit der Sache zu tun. Die anderen hatten sie einfach als Werkzeug benutzt.

Die Pistole auf Masao gerichtet, öffnete Sam Collins die Tür. Sie gingen hinaus. Der Detektiv hielt die Pistole versteckt, damit die Passanten sie nicht sehen konnten. Am Bordstein parkte ein alter grüner Chevrolet. Der Detektiv öffnete die Tür auf der Beifahrerseite.

»Versuch keine faulen Tricks!« warnte er Masao. »Es ist egal, ob ich dich tot oder lebendig aufs Revier bringe. Du wirst wegen Mordes gesucht. Verstehst du?«

Masao nickte. Er verstand nur zu gut.

Immer noch die Pistole im Anschlag, schob sich Sam Collins hinter das Lenkrad und winkte Masao auf den Beifahrersitz. »Mach die Tür zu«, befahl der Detektiv. »Hübsch leise.« Masao zog die Tür zu. »Na, braver Junge.« Sam Collins startete den Motor. »Mach dir's bequem und entspanne dich. Wir haben eine lange Fahrt vor uns.«

Also fuhren sie gar nicht zu einem Polizeirevier! Der Detektiv wollte ihn zu seinem Onkel bringen. Masaos Gedanken rasten. Er wußte: Wenn er noch einmal Teruo in die Hände fiel, war sein Leben keinen Cent mehr wert.

»Ich weiß nicht, wieviel mein Onkel Ihnen bezahlt, aber ich kann ihnen mehr bezahlen. Ich besitze die Firma Matsumoto.«

Der Detektiv lachte. »Das ist komisch. Dein Onkel glaubt, daß *er* sie besitzt.«

Masao sagte: »Falls Sie mir helfen, werde ich . . .«

»Vergiß es! Ich weiß nicht, was zwischen euch los ist, und ich will's auch gar nicht wissen. Ich bin angeheuert worden, um dich zu finden und zurückzubringen, und das tu ich jetzt. Ich kann's auf die gemütliche oder auf die harte Tour machen. Wenn du's auf die harte Art willst, wird's ein bißchen weh tun. Es liegt ganz bei dir.«

»Sie stehen auf der falschen Seite«, sagte Masao. »Lassen Sie mich laufen, und ich werde Sie reich machen.«

Sam Collins lächelte höhnisch. »Ich *bin* reich.« Und das war er. Bei der zweiten Begegnung hatte Teruo gesagt: »Die Prämie von fünfzigtausend Dollar ist nur der Anfang. Bringen Sie mir meinen Neffen, und ich will Sie reich machen.« Teruo hatte ihm ein Vermögen versprochen, und jetzt, wo er dieses Vermögen praktisch in der Hand hatte, wollte er es nicht mehr loslassen. Er würde genug Geld haben, um sich für den Rest des Lebens zur Ruhe zu setzen. Er hatte immer den Wunsch gehabt, in Florida zu leben und mit der eigenen Yacht auf Fischfang zu fahren. Er konnte seine Frau mitnehmen - oder seine Geliebte. Vielleicht keine von beiden. Er hatte gehört, daß es in Florida eine Menge gutaussehende Frauen gab. Alles, was ein Kerl wie er brauchte, war Geld. Und von jetzt an würde er mehr Geld haben, als er je ausgeben konnte.

Er warf einen mitleidigen Blick auf den Jungen neben ihm, in zerknitterten Blue jeans und schmutzigem T-Shirt, und dachte: Sieh mal an, wer mir da erzählen will, ich steh auf der falschen Seite! Eines mußte er Teruo lassen: der Kerl war wirklich schlau. Er hatte genau gewußt, wie er die Falle aufstellen mußte.

Der Detektiv langte über Masao hinweg nach dem Handschuhfach. Er zog eine halbvolle Whiskyflasche heraus und genehmigte sich einen tüchtigen Schluck. Er hatte ihn verdient. Masao hockte ruhig daneben und sagte nichts. Beinahe tat er dem Detektiv leid. So war das Leben: Masaos Pech war Sam Collins' Glück. Er nahm noch einen Schluck aus der Flasche und bot sie Masao an. »Trink mal 'n Schluck. Es wird dir guttun.«

»Nein, danke.«

Sam Collins zuckte gleichgültig die Schultern und verstaute die Flasche wieder im Handschuhfach. Er sagte: »Du mußt irgend etwas angestellt haben, daß dein Onkel so sauer auf dich ist.«

Masao antwortete nicht.

Geht mich sowieso nichts an, dachte der Detektiv. Mein Job ist zu Ende, sobald ich ihn abgeliefert habe. Er dachte an den fetten Scheck, den er einstreichen würde, und grinste. Nein, es würde nicht mal ein Scheck sein - Bargeld würde er kriegen! Steuerfrei und ohne Quittung. Vielleicht sollte er, statt nach Florida, einen Trip zu den Südsee-Inseln machen. Die Mädchen dort waren angeblich hübsch und leicht zu haben. Geld! Das war der Schlüssel zu allem. Geld machte einen zum König. Sam Collins hatte sein Leben lang nicht schlecht verdient, aber dies war der große Treffer, von dem er immer geträumt hatte. Der Schlüssel zum großen Geld. Wieder spähte er zu Masao hinüber und fragte sich, was der Junge wohl denken mochte.

Masao dachte an Flucht. Er wußte nun, daß es unmöglich war, den Detektiv zu überreden, ihm zu helfen. Er mußte einen anderen Weg finden. Aber er war gewarnt: falls er davonrannte, würde der Detektiv nicht zögern, ihn zu erschießen. Masao hatte sich überlegt, aus dem Auto zu springen, aber der Detektiv steuerte mit einer Hand - und hielt in der anderen die Pistole. Er konnte Masao erschießen, bevor er noch halb durch die Tür war.

Masao spähte durch die staubverschmierte Windschutzscheibe des Wagens. Ein Wegweiser mit Pfeil verkündete: *George Washington Bridge.* Wenn sie erst diese Brücke hinter sich hatten, gab es für Masao keine Chance mehr, das wußte er. Danach begann die Schnellstraße, die ohne weiteren Halt in den Staat New York hinausführte. In der Ferne sah Masao bereits den riesigen Bogen der Brücke, die den majestätischen Hudson River überspannte. Masao blieben noch knapp drei Minuten, um sich einen Fluchtplan einfallen zu lassen. Er spähte zum Detektiv hinüber und fragte sich, ob es möglich wäre, ihn zu überwältigen, aber er wußte instinktiv, daß es vergeblich war. Selbst ohne die Pistole hätte er keine Chance gegen den kräftigen Mann neben ihm gehabt. Jetzt näherten sie sich einer Ampel, die gerade von Grün auf Gelb umschaltete.

Collins hatte schon den Fuß auf dem Gaspedal und wollte über die Kreuzung rauschen, bevor die Ampel auf Rot schaltete - aber da entdeckte er gerade noch rechtzeitig neben sich einen Streifenwagen der Polizei und trat auf die Bremse. Der Wagen kam vor der Ampel zum Stehen. Nur jetzt keine unnötigen Scherereien, dachte Sam Collins. Nicht jetzt, wo ich so nah dran bin, reich zu werden.

Auch Masao hatte den Streifenwagen mit den zwei Polizisten gesehen, der neben Sam Collins wartete, daß die Ampel wieder auf Grün schaltete. Einen verzweifelten Augenblick lang war er in Versuchung gewesen, um Hilfe zu rufen. Aber die Polizei fahndete ja ebenfalls nach ihm. Auch die Polizisten waren Feinde. Er mußte sich etwas anderes einfallen lassen, und zwar schnell. Die Ampel konnte jede Sekunde umschalten. Und plötzlich - hatte er eine Idee.

Er schaute den Detektiv an und sagte: »Ich habe mir die Sache mit dem Drink noch mal überlegt. Ich könnte ganz gut einen vertragen. Darf ich?«

»Sicher. Ich hab ja gesagt, mach's dir gemütlich. Bediene dich ruhig.«

Masao öffnete das Handschuhfach, nahm die Flasche und zog den Korken heraus. Er hielt die Flasche in der Hand und beobachtete scharf die Ampel. Sie schaltete auf Gelb, dann auf Grün - und seine Spannung wuchs. Der Detektiv stieg aufs Gaspedal. Jetzt hing alles vom richtigen Zeitpunkt ab. Im gleichen Augenblick, als der Wagen losfuhr, hob Masao die Flasche über Sam Collins' Kopf und begoß ihn von oben bis unten mit Whisky. Der Detektiv starrte Masao erschrocken an.

»He! Was zum Teufel fällt dir ein?« Er langte nach oben und versuchte, Masao die Flasche aus der Hand zu reißen. Dabei ließ er eine Sekunde das Steuer los - und diesen Moment nutzte Masao. Er ließ die Flasche fallen, packte mit beiden Händen das Steuer und riß den Wagen so nach links herum, daß er gegen den hinteren Kotflügel der Polizeistreife krachte.

Die beiden Beamten blickten zu Sam Collins herüber. Der Fahrer des Streifenwagens fluchte und schrie: »Fahren Sie mal an den Rand!«

Sam Collins zitterte vor Wut. Zuerst mußte er diese dumme Geschichte glatt hinter sich bringen. Aber dann würde er sich den Jungen vorknöpfen und ihm eine anständige Tracht Prügel verpassen. Es sollte ihm eine Lehre sein! Er steuerte sein Auto an den Straßenrand und schaute zu, wie die beiden Polizisten aus ihrem Streifenwagen sprangen und sich mit wild entschlossenen Gesichtern näherten.

»Aussteigen!« kommandierte der eine.

Sam Collins stieg aus und nahm eine demütige Haltung an. »Tut mir leid, Officer«, sagte er. »Es war ein Mißgeschick. Ich komme gern für den Schaden auf. Mir ist das Lenkrad aus der Hand gerutscht, und . . .«

Die Whiskydämpfe, die von Sam Collins aufstiegen, trieben dem Polizisten die Tränen in die Augen. Er drehte sich zu seinem Kollegen um: »Anscheinend haben wir 'nen Besoffenen am Steuer erwischt.«

»Sie irren sich«, protestierte Sam Collins. »Ich bin nicht betrunken. Der Junge hat mir einen Streich gespielt. Er hat mich von oben bis unten mit Whisky begossen.«

»Welcher Junge?«

Sam Collins drehte sich um und deutete ins Innere des Wagens.

Masao war verschwunden.

Neuntes Kapitel

Die Zeit ist dein Freund, wenn das Leben friedlich und glatt verläuft. Wenn es Probleme gibt, wird die Zeit dein Feind.

Die Zeit war Masaos Feind geworden. Er hatte seinen Onkel unterschätzt. Er hatte geglaubt, sein Onkel würde ihn laufen lassen, würde die Treibjagd aufgeben - aber jetzt wußte er es besser. Teruo würde nicht lockerlassen, bis Masao tot war. Teruo hockte irgendwo in einem Büro oder in einer Fabrik, oder auch in der Jagdhütte in den Bergen, und plante kaltblütig seine Strategie. Wenn sie miteinander Schach spielten, hatte Teruo stets Masao geschlagen. Aber diesmal ging es um einen anderen Einsatz. Diesmal war der Einsatz - Masaos Leben.

In dem Augenblick, als der grüne Chevrolet gegen den Streifenwagen krachte, war Masao durch die Tür geschlüpft und in entgegengesetzter Richtung davongelaufen. Er lief blindlings drauflos, er wußte nicht, wohin - nur weg von seinem Onkel und dessen Helfershelfern. Er zügelte seine Schritte, um keine Aufmerksamkeit zu erregen. Instinktiv wandte er sich nach Downtown-Manhattan, wo das Menschengewühl dichter war und er leichter untertauchen konnte. Aber er hatte kein Ziel. Er konnte nicht nach Greenwich Village zurück. Er konnte auch nicht in sein Hotel zurück. Es gab keinen Platz, wo er sich verstecken konnte. Wenn Teruo erst erfuhr, daß Masao wieder entwischt war, dann würden die Straßen wimmeln vor Männern, die nach ihm fahndeten. Teruo hatte das ganze Vermögen der Familie Matsumoto zur Verfügung, und er würde jeden Cent davon ausgeben, um das letzte Hindernis auf seinem Weg zu beseitigen. Masao stand ganz allein gegen die Polizei, gegen den Sicherheits-Dienst von Matsumoto Industries und gegen wer weiß wieviele Privatdetektive. Noch nie im Leben hatte er sich so verlassen gefühlt.

Nein, er war nicht ganz verlassen. Es gab noch Kunio Hidaka, in Los Angeles. Masao dachte an die guten Stunden, die sie im Lauf der Jahre miteinander verbracht hatten. Masaos Vater hatte ihm vertraut. Aber - wie sollte er ihn jetzt erreichen? Am Telefon konnte er seine Situation unmöglich erklären. Nein, er mußte Kunio Hidaka persönlich sprechen.

»Paß auf, wohin du läufst!« sagte eine Stimme. Masao blickte auf und sah, daß er mit einem Hotelportier in grauer Livree zusammengestoßen war.

»Oh, tut mir leid«, entschuldigte sich Masao.

Der Portier winkte Taxis für eine lange Schlange wartender Hotelgäste herbei. Masao schaute sich um und sah, daß er genau vor dem Hilton-Hotel stand. Er kniff die Augen zusammen und starrte genauer hin - aber es war nicht das Hotel, das er anstarrte. Es war das, was davor stand.

Vor dem Hotel stand ein großer Greyhound-Bus, mit einem Schild vorne dran, das verkündete: *Los Angeles.* Leute stiegen in den Bus ein - aber was Masao besonders auffiel, war die Tatsache, daß diese Leute allesamt Japaner waren. Es war eine japanische Reisegesellschaft, unterwegs nach Los Angeles! Das war die perfekte Chance, und Masao wußte, daß er zugreifen mußte. Er blieb stehen und beobachtete, was passierte.

Der Busfahrer stand neben der offenen Tür und kontrollierte auf einer Liste die Namen der Passagiere, die einstiegen und ihre Plätze suchten. Masao mußte eine Möglichkeit finden, sich in diesen Bus einzuschleichen. Aber wie? Es war offensichtlich eine private Reisegesellschaft, und sein Name stand nicht auf der Liste. Masao überlegte ein paar Sekunden, dann wirbelte er herum und rannte in die Lobby des Hilton-Hotels.

Die Lobby war groß und geräuschvoll: Touristen, die ankamen oder abreisten, Gäste, die unterwegs zu Terminen waren oder in den schweren Sesseln saßen und auf irgend etwas warteten. In der Mitte der Lobby war ein Meer von Koffern, die der Reisegesellschaft gehörten, jeder mit einem Namensschild versehen. Vier Pagen waren damit beschäftigt, sie zum Bus hinauszuschleppen und im Kofferraum zu verstauen. Am Schluß blieben noch etwa ein Dutzend Koffer übrig.

Masaos Hirn arbeitete fieberhaft. Er ging zu den Koffern hinüber, bückte sich und entzifferte das Namensschild an einem von ihnen: *Yoshio Tanaka.* Masao richtete sich auf und marschierte quer durch die Lobby zu den Kabinen mit den Haustelefonen. Er hob in der letzten Kabine den Hörer ab. Die Vermittlung meldete sich: »Kann ich Ihnen behilflich sein?«

»Ja. Könnten Sie bitte Mr. Yoshio Tanaka ausrufen?«

»Einen Augenblick, bitte.«

Ein paar Sekunden später rief eine metallische Stimme über den Lautsprecher: »Mr. Tanaka, Mr. Yoshio Tanaka. Bitte kommen Sie zum Haustelefon.« Masao blieb in seiner Zelle stehen und beobachtete, wie ein dicker, untersetzter Mann drei Zellen weiter an den Apparat eilte.

»Hallo?«

Masao drehte ihm den Rücken zu, senkte die Stimme und sprach in den Hörer: »Mr. Tanaka?«

»Ja, ja«, sagte Tanaka.

»Mr. Yoshio Tanaka?«

»Ja, richtig. Wer spricht dort?«

»Hier ist die Übersee-Vermittlung. Für Sie ist ein Ferngespräch aus Japan angemeldet. Es wird eine kleine Verzögerung geben. Bitte hängen Sie auf und warten Sie in der Telefonzelle!«

»Aber mein Bus fährt ab . . .«

»Der Anruf kommt jeden Moment.«

»Aus meinem Büro?« fragte Mr. Tanaka.

»Ja, Sir.«

»Ich warte.«

»Danke.«

Masao legte den Hörer auf. Er ging an Mr. Tanaka vorbei und eilte hinaus, wo die Hotelpagen gerade die letzten Koffer in den Bus einluden. Die letzten Reisenden stiegen ein, und der Fahrer kontrollierte die letzten Namen.

Alles ging nach Wunsch. Teruos Männer suchten Masao in den öffentlichen Linienbussen, aber niemand würde ihn bei einer Reisegesellschaft vermuten. Masao blieb vor der Wagentür stehen. Der Fahrer blickte auf. »Ihr Name, bitte?«

»Mein Name ist Yoshio . . .«

In diesem Moment sah Masao aus dem Augenwinkel die dicke, gedrungene Gestalt Mr. Tanakas. Masao beobachtete ihn voll Entsetzen. Tanaka schob Masao beiseite und sagte zum Busfahrer: »Yoshio Tanaka!«

Der Fahrer hakte den Namen auf seiner Liste ab. Masao stand am Rinnstein und schaute ungläubig zu, wie der kleine Japaner in den Bus kletterte. Der Fahrer zwängte sich hinters Steuer, und eine Minute später verschwand der Bus in der Ferne.

Masao blieb enttäuscht zurück. Er war dem Ziel so nah gewesen! Alles schien sich gegen ihn verschworen zu haben. Wenn er doch nur jemanden hätte, mit dem er sprechen konnte. Er wünschte sich, er könnte Sanae besuchen. Er dachte daran, wie wunderschön sie war und wie sie den Detektiv angelogen hatte, um ihn zu beschützen. Eine tiefe Traurigkeit erfaßte Masao.

Jetzt schlenderte ein uniformierter Polizist auf das Hotel zu. Er schien Masao scharf anzusehen - oder war das nur Einbildung? Er konnte es sich nicht leisten, ein Risiko einzugehen. Lässig drehte er sich um und mischte sich unter die Menschen in der Lobby des Hilton. Er wanderte durch die Halle und verließ das Hotel durch einen Hinterausgang. Er brauchte Schutz - und den gab es nirgends.

In einem deutschen Restaurant an der 96th Street genehmigte sich Masao ein verspätetes Mittagessen. Er haßte die deutsche Küche, und darum hatte er dieses Restaurant aufgesucht. Er wußte jetzt, wie sein Onkel dachte. Sein Onkel kannte alle seine Gewohnheiten und würde Männer losschicken, um alle wahrscheinlichen Plätze abzusuchen. Von jetzt an würde sich Masao nur noch an *unwahrscheinlichen* Plätzen aufhalten. Er mußte vermeiden, Spuren zu hinterlassen, denen sein Onkel nur zu folgen brauchte. Er saß an einem Ecktisch und verspeiste die Bratwurst, die ihm nicht schmeckte, und überlegte seinen nächsten Zug. Es war noch immer dasselbe Problem: aus einer Stadt zu verschwinden, in der alle Ausgänge verbarrikadiert waren.

Zufällig schaute Masao aus dem Fenster, als ein großer Lastwagen vorbeirollte - und plötzlich schoß eine heiße Welle durch seinen Körper. Es gab doch noch eine Chance!

Eine Stunde später stand Masao im Schatten eines Lastwagen-Terminals in der Nähe der Docks und beobachtete das geschäftige Treiben um ihn her. Auf dem Hof standen mindestens fünfzig riesige Trucks, die für ihre Tour beladen wurden. Eine unglaubliche Vielfalt von Waren war überall gestapelt. Die Lastwagen transportierten Möbel und Chemikalien und Lebensmittel und medizinisches Gerät. Sie wurden mit Büchern, Fernsehgeräten, Bauholz und Kleidern beladen. Diese Trucks waren die Lebensadern Amerikas. Sie brachten die Güter in jeden Winkel des Landes, in die großen Städte und kleinen Dörfer, zu den Farmen und zu den Seehäfen.

Masao stand da, ging den Arbeitern aus dem Weg, versuchte scharf zu beobachten. Es war immer der gleiche Vorgang. Wenn die Wagen voll beladen waren, wurden die Hecktüren zugeklappt und verschlossen. Der Fahrer setzte sich ans Steuer, sein Beifahrer auf den Nebensitz, und der Truck brummte los - seinem Bestimmungsort entgegen. Es war ein faszinierendes Schauspiel. Nachdem Masao gesehen hatte, was er wissen mußte, schlenderte er gemächlich über den Hof und stellte unauffällige Fragen.

Er blieb bei einem der Arbeiter stehen, die einen Lastwagen beluden, und sagte: »Entschuldigung, Sir, wohin fährt der Laster?«

»Connecticut.«

Falsche Richtung. »Vielen Dank, Sir.« Masao trödelte zum nächsten Lastwagen hinüber. »Entschuldigung, Sir, wohin fährt dieser Laster?«

»Boston.«

Zu nah. So lief er von einem Fahrer zum anderen, stellte Fragen und bekam Antworten, und die Lastwagen rollten nach Maine oder Philadelphia oder Washington oder Delaware. Nichts zu machen. Masao wollte schon aufgeben, als er zu einem riesigen Lastwagen kam, der mit Möbeln und Hausrat beladen wurde. Halbherzig fragte Masao: »Entschuldigung, Sir, wohin fährt dieser Lastwagen?«

Ohne aufzublicken, brummte der Mann: »Los Angeles.«

Masao kam es vor, als sauste ein Adrenalinstoß durch seine Adern. *Los Angeles!* Irgendwie mußte er es schaffen, sich in diesen Lastwagen einzuschleichen. Er trat einen Schritt zurück und beobachtete, wie die Männer vorsichtig allerlei Möbel auf die Ladefläche schleppten. Der Laster war beinahe voll beladen. Wenn er erst ganz voll war, dann würde kein Zentimeter Platz mehr frei bleiben. Verdammt eng würde es werden, falls Masao es überhaupt schaffte, hineinzukommen. Aber das war nicht seine Hauptsorge. Was ihn am meisten beschäftigte, war die Tatsache, daß die Reise quer durch Amerika sechs oder sieben Tage dauerte - und er würde die ganze Zeit ohne Wasser und ohne Nahrung in diesem Lastwagen eingesperrt bleiben.

Macht nichts, dachte Masao. Nichts machte ihm etwas aus, wenn er nur nach Los Angeles kam, wo er Kunio Hidaka aufsuchen und um Hilfe bitten konnte.

Es war eine Gruppe von vier Männern, die die schweren Möbelstücke auf großen Paletten heranrollten, auf eine Rampe schoben und auf die Ladepritsche des Trucks wuchteten. Masao wußte, daß er genau den richtigen Zeitpunkt abpassen mußte. Falls er zu früh auf den Lastwagen kletterte, konnte er entdeckt werden. Wartete er einen Moment zu lange, konnte er ausgesperrt bleiben.

Er beobachtete, wie eine Gruppe Fernfahrer aus der Kantine auf der anderen Seite des Frachthofes kam, und der Gedanke an Essen ließ ihm das Wasser im Munde zusammenlaufen. In diesem Augenblick hätte er sogar mit Vergnügen eine deutsche Bratwurst gegessen. Er schaute wieder zur Kantine hinüber. Es würde nur eine Minute dauern, hinzulaufen und ein paar Sandwichs und ein paar Dosen Cola zu holen. Dann hätte er auf der langen Reise über Land etwas gegen Hunger und Durst.

Die Versuchung war zu stark, als daß er widerstehen konnte. Im Laufschritt rannte Masao zur Kantine. Dort war es laut und rauchig, die Fernfahrer hockten an Tischen und an einer langen Theke. Masao bahnte sich einen Weg zur Theke und blieb stehen. Er war zu nervös, um sich hinzusetzen. Eine einzige Kellnerin bediente die fünfzehn Gäste, sie schwatzte und flirtete mit ihnen, während Masao versuchte, ihre Aufmerksamkeit auf sich zu lenken. Sie schenkte einem der Gäste Kaffee nach und kam endlich zu Masao herüber.

»Was möchtest du?«

Das hatte sich Masao noch gar nicht überlegt. Er schaute zur Anschlagtafel über der Theke hinauf. »Ich möchte ein Hamburger-Sandwich.«

»Okay.« Sie schrieb die Bestellung auf einen Block und wandte sich zum Gehen.

»Und ein Käse-Sandwich.«

»Okay.« Wieder wollte sie gehen.

»Ein Hühnchen-Sandwich.«

Diesmal starrte sie Masao verwundert an. »Ist das alles?«

»Nein, Ma'am.« Er rechnete fieberhaft. Sechs oder sieben Tage. Zwei Mahlzeiten pro Tag müßten reichen. Wieder schaute er zur Anschlagtafel hinauf. »Ein Eier-Sandwich, eines mit Corned Beef, eins mit Roast Beef, ein Roggenbrötchen mit Schinken, ein Putenschnitzel-Sandwich, eines mit Schweizer Käse, eins mit Frikadelle, eins mit Salami, eins mit Schinken und Tomaten, und ein Mortadella-Sandwich.«

Die Kellnerin riß den Mund auf. Endlich fand sie ihre Sprache wieder. »Und was zu trinken?«

»Ja, Ma'am. Ein Dutzend Colas.«

Sie lächelte und sagte: »Du hast aber einen guten Appetit.«

Masao schaute ihr nach, wie sie zum Küchentresen ging und seine Bestellung aufgab. Wenigstens brauchte er unterwegs nicht zu hungern. Aber die Essensdüfte, die ihn hier umschwebten, machten ihn regelrecht gierig, und am liebsten hätte er sich gleich eine Pastete mit Kaffee bestellt. Aber er wollte keine Zeit verlieren. Hoffentlich, so dachte er, beeilten sie sich mit seinen Sandwiches.

Er hockte neben der Kasse auf einem Hocker und hörte zu, was die Fernfahrer redeten, während sie ihre Rechnung beglichen.

»Wohin fährst du, Charly?«

»Nach Tulsa. Teile für einen Bohrturm liefern.«

»Komme gerade von dort. Das Wetter war lausig.«

»Hast du schon deinen neuen Lastwagen, Tony?«

»Nächstes Jahr. Die Frau brauchte 'ne Operation.«

»Dein Pech.«

»Yeah. Wer kann sich heutzutage noch leisten, krank zu werden?«

Masao beobachtete, wie die Kellnerin Bestellungen aufnahm und Rechnungen schrieb. Mach schnell, dachte er. Mach schneller!

Als hätte sie seine Gedanken gelesen, sagte die Kellnerin: »Deine Bestellung kommt gleich.«

»Vielen Dank.«

Im gleichen Moment hörte er neben sich an der Kasse eine Stimme sagen: »Jetzt müßten sie mit dem Aufladen fertig sein. Komm, auf nach Los Angeles!«

Masao erstarrte das Blut in den Adern. Er fuhr herum und sah den Fahrer des Lastwagens - seines Lastwagens! - und den Beifahrer, die gerade ihre Rechnung bezahlten.

»Geh du schon mal. Ich laß inzwischen die Frachtpapiere unterschreiben«, sagte der Beifahrer.

Masao blickte gehetzt zum Küchentresen hinüber. Er sah, wie jemand seine Sandwiches einpackte, aber er hatte keine Zeit mehr zu verlieren. Die beiden Fernfahrer standen bereits an der Tür.

Masao sprang auf und rannte hinter ihnen her. Die Kellnerin schrie: »Heh ... deine Sandwiches!«

Aber Masao war schon draußen.

Der Truck stand noch da, und eben wurde das letzte Möbelstück aufgeladen.

Jeden Augenblick konnten sie die Heckklappe zuschlagen und abschließen. Es war genau der richtige Moment, um hineinzuschlüpfen. Aber die Arbeiter standen vor der Klappe beisammen und unterhielten sich mit dem Fernfahrer. Jetzt konnte Masao unmöglich an ihnen vorbeischlüpfen. Er dachte daran, wieviel Frust er schon erlebt hatte, wie oft er ganz nahe dran gewesen war, endlich aus New York wegzukommen. Und jetzt schien es, als wäre wieder mal alles vergeblich.

Während Masao solchen trüben Gedanken nachhing, ertönte vom Lastwagen nebenan ein lautes Geschepper. Alle drehten sich um, um nachzusehen, was passiert war.

Ein großer Kronleuchter war von einer Palette auf den Boden gefallen und in tausend Scherben zersprungen. Der unglückliche Packer, der für das Mißgeschick verantwortlich war, fing an zu fluchen, während die anderen Fahrer und Arbeiter sich um ihn versammelten, um ihn zu hänseln und auszulachen.

Masaos Herz machte einen Luftsprung, als er sah, daß auch *sein* Fernfahrer zu der Gruppe hinüberging. Blitzartig rannte Masao auf den unbewachten Lastwagen los. Er schaute sich um, ob ihn auch wirklich niemand beobachtete, und sprang auf die Ladepritsche. Rasch bahnte er sich einen Weg ins Innere, kletterte über Stühle und Tische, tauchte unter Leuchtern und Sofas durch. Der Lastwagen war länger, als Masao sich vorgestellt hatte, und erst als er sich ganz am Ende der Pritsche hinter ein breites Sofa duckte, fühlte er sich in Sicherheit. Hier würden sie ihn niemals entdecken. Er dachte wehmütig an die vielen Sandwiches und Cola-Dosen, die drüben in der Kantine auf ihn warteten. Aber jetzt war es zu spät, um sich darüber Sorgen zu machen. Er würde am Leben bleiben. Er war ein Matsumoto.

Ein paar Minuten später hörte Masao einen lauten Knall. Die Heckklappe wurde zugeschlagen, und er war in der Finsternis des Lastwagens eingesperrt. Er hörte, wie der Motor ansprang, und spürte das Beben des großen Fahrzeugs, als es sich in Bewegung setzte.

Er war unterwegs - nach Los Angeles, Kalifornien.

Zehntes Kapitel

Er war in einem schönen Restaurant in Kyoto, er saß an einem Tisch mit herrlichem weißen Leinen und goldenen Eßstäbchen. Das Restaurant war groß, aber er war der einzige Gast. Es war friedlich und still, das einzige Geräusch war das Klingeln der Windharfe draußen vor der Tür. Ein Kellner kam an seinen Tisch und brachte eine Platte, und auf der Platte lag ein Fisch.

Dies wurde extra für dich gekocht, sagte der Kellner. Der Fisch sah köstlich aus, und er war hungrig. Er nahm die Eßstäbchen in die Hand und gabelte ein Stück Fisch auf und steckte es in den Mund. Im selben Moment wußte er, daß der Fisch ein giftiger Fugu war. Er blickte auf und erkannte, daß der Kellner sein Onkel Teruo war, der ihn angrinste.

Er stand auf und rannte aus dem Lokal und befand sich im Moosgarten des Kokedera-Tempels.

In der Ferne läutete eine Glocke, und Masao sagte, es ist Essenszeit. Wir können ins Dorf gehen und essen.

Nein, nein, warnte Masaos Vater. Das Dorf ist gefährlich für dich. Es ist besser, du bleibst hier und hungerst.

Aber, Vater, ich bin hungrig und durstig.

Masaos Mutter hielt etwas mit beiden Händen empor und sagte, trink das, und es war Schnee. Masao schaute sich um und sah, daß sie sich in den japanischen Alpen befanden; der Boden war schneebedeckt, und er zitterte vor Kälte.

Masao erwachte im kalten Laderaum des Lastzugs, seine Zähne klapperten, und er erinnerte sich an seinen Traum. Er war hungrig und durstig. Aber wenigstens, dachte Masao, bin ich auf dem Weg in die Sicherheit. Es machte ihm nichts aus, daß er fror und Hunger hatte. Er konnte es ertragen. Er würde alles ertragen, um Teruo Sato zu besiegen.

Gegen Hunger und Durst konnte Masao nichts ausrichten, wohl aber gegen die Kälte. Er kroch in der Finsternis umher, bis er eine schwere Wolldecke fand, die über einen Tisch gebreitet lag. Er zog die Decke zu sich heran und wickelte sich ein. Er fragte sich, wie lange er wohl geschlafen hatte, wie weit der Truck inzwischen gefahren war und wo sie sich jetzt befanden. Er hatte keine Ahnung, ob es Tag oder Nacht war. Er versuchte sich zu erinnern, was er über die Geographie Amerikas gelesen hatte. Westlich von New York lag Pennsylvania; dann kamen Ohio, Indiana und Illinois. Und Illinois - das war erst ein Drittel des Weges bis zur Westküste der Vereinigten Staaten.

Wenn er schon jetzt solchen Hunger und Durst hatte, wie sollte er den Rest der Fahrt überstehen? Er mußte es schaffen, denn die Ladeklappe des Lastwagens würde nicht geöffnet werden, bis er sein Ziel erreichte - dreitausend Meilen vom Ausgangspunkt entfernt. Bis dahin war er eingesperrt, und niemand konnte ihn finden.

Das gemächliche, rhythmische Schaukeln des Trucks wiegte Masao schließlich wieder in den Schlaf. Er kuschelte sich in seine Decke und träumte.

Er träumte, daß er daheim im Sommerhaus der Familie in Karuizawa war und nach seinem Vater und seiner Mutter suchte . . . dann war er im Kinkakuji in Kyoto, aber sie waren nicht da. Er suchte sie in der großen Halle des Asakusa-Tempels in Tokyo, und dann lag er in einem Fischerboot vor der Insel Yoron, und das Boot war voll von Sardinen und Barschen und Thunfisch und Tintenfischen und Gelbschwanz und Krabben . . .

Er träumte von Sanae. *Sie stand am Ufer, in der Finsternis, und rief ihm zu: Der Feind ist hier. Laß dich nicht erwischen, sonst wird er dich töten. Und dann wurde sie zur Seite gerissen, und ein strahlender Scheinwerfer leuchtete Masao ins Gesicht, und eine Männerstimme brüllte:* »Steh auf! Wir wissen, daß du da bist!«

Masao versuchte, sich noch tiefer im Fischerboot zu verkriechen, aber die Stimme brüllte weiter, und der Lichtstrahl blendete ihn. Masao schlug die Augen auf und wußte, daß dies kein Traum war.

Da stand ein Mann auf der Ladepritsche des Lastwagens und leuchtete Masao mit einer Taschenlampe ins Gesicht. »Steh auf, du! Raus aus dem Wagen!«

Masao blinzelte und setzte sich auf. Die Ladeklappe des Lastwagens stand offen, und der Lastwagen rollte nicht mehr. Natürlich konnten sie noch nicht in Kalifornien angekommen sein. War etwas schiefgelaufen? Wie konnte jemand wissen, daß er hier war? Er hatte sich doch so gut versteckt! Vielleicht hatte ihn jemand beobachtet, wie er in den Lastwagen schlüpfte, und die Polizei oder seinen Onkel informiert. Diesmal, das wußte Masao, war Flucht ausgeschlossen. Langsam stand er auf und tastete sich zum Ausgang vor. Seine Glieder waren steif und schmerzten. Er erkannte den Mann auf der Ladepritsche. Es war der Fernfahrer.

Masao sprang von der Pritsche ab und schaute sich um. Sie standen auf einer Wiegebühne am Rand des Highways. Neben dem Wiegehäuschen parkte ein Streifenwagen.

»Woher wußten Sie, daß ich mich im Lastwagen verstecke?« fragte Masao.

Der Fahrer lachte. »Mathematik, mein Junge. Diese Lastwagen werden bei der Abfahrt auf dem Frachthof gewogen. Wir müssen immer wieder an den staatlichen Wiegestationen am Rande der Autobahn anhalten, um sicherzustellen, daß wir nicht zuviel Ladung transportieren.« Er deutete auf die riesige Wiegebühne, auf der der Lastwagen parkte. »Diese Ladung wiegt 150 Pfund mehr als beim Start in New Jersey.«

So eine blöde Geschichte war ihm also zum Verhängnis geworden! Masao kniff die Augen zusammen. Er fühlte sich einer Ohnmacht nahe, er hatte Hunger und Durst. Er schaute zum Streifenwagen hinüber. »Was werden Sie mit mir machen?«

Er merkte, wie er auf seinen Beinen schwankte.

Der Fahrer musterte ihn. »Heh! Bist du in Ordnung?«

»Ja, Sir.«

»Wann hast du zuletzt etwas gegessen?«

»Ich . . . ich weiß nicht«, sagte Masao aufrichtig.

»Ich glaube, wir werden dir erst mal etwas zu essen geben und dann entscheiden, was wir mit dir machen sollen. Du warst zwei Tage lang da drin eingesperrt.« Er streckte die Hand aus. »Ich bin Al.«

Masao schüttelte ihm die Hand. »Ich bin Masao.«

Der Fahrer deutete auf den Beifahrer. »Das ist Pete.«

»Guten Tag, Sir.«

»Los, mach dich erst mal sauber«, sagte Al.

Sie marschierten auf eine große Cafeteria neben der Wiegestation los, und Masao war überrascht, wie schwach er sich fühlte. Er stolperte, und Al schob ihm eine Hand unter den Arm, um ihn zu stützen. Selbst wenn er's gewollt hätte, war Masao zu schwach, um zu fliehen.

»Du weißt ja, daß das gesetzlich verboten ist«, sagte Al.

»Ja, Sir.«

Masao überlegte, was der Fahrer denken würde, wenn er wüßte, daß er wegen Mordes gesucht wurde und daß auf seine Ergreifung wahrscheinlich eine hohe Belohnung ausgesetzt war. Er dachte an die Polizeistreife, die auf der anderen Straßenseite parkte, und ein Frösteln lief ihm über den Rücken.

»Ist dir kalt?«

»Nein, Sir.« Die Sonnenstrahlen brannten wunderbar auf der Haut. Er hatte ja keine Ahnung gehabt, wie schrecklich es sein würde, in der Finsternis eingesperrt zu sein - wie ein wildes Tier.

Das Café war voll von Fernfahrern, die tüchtig aßen und schwatzten und ihre Erfahrungen von unterwegs austauschten.

Al führte Masao in den Waschraum. Masao schaute in den Spiegel und erkannte sich kaum wieder. Er war staubverschmiert, und sein Gesicht sah abgehärmt und gespenstisch aus. Nachdem Masao sich gewaschen hatte, führte ihn Al an einen Tisch im Restaurant. Der Essensduft machte ihn ganz schwindlig.

Sie setzten sich und bestellten, und Al und Pete schauten verwundert zu, wie Masao futterte. Zuerst eine große Schüssel Hühnersuppe, dann ein Hamburger-Sandwich und einen Teller Pommes frites, danach ein Cheeseburger-Sandwich und noch einen Teller Pommes frites. Er beendete seine Mahlzeit mit einer Apfelpastete mit Eiskrem und einer Kanne Kaffee.

»Mein Gott«, rief Al bewundernd aus. »Und ich dachte immer, *Fernfahrer* sind tüchtige Esser!«

»Ich hab Geld genug, um das viele Essen zu bezahlen«, sagte Masao.

Al grinste. »Vergiß es. Jemand, der so viel essen kann, hat sich eine freie Mahlzeit verdient.«

Der Fernfahrer zündete sich eine Zigarette an und musterte Masao aufmerksam. Der Junge fühlte seine innere Anspannung steigen. Er wußte, was jetzt kam.

Al sagte ruhig: »Wovor läufst du davon, Junge?«

Masao schaute sich im Restaurant um, all die harten, kräftigen Fernfahrer, die hier saßen, und einen Augenblick lang hatte er die wilde Phantasie, mit der Wahrheit herauszuplatzen und Al die ganze Geschichte von Teruo und seinen gemeinen Machenschaften zu erzählen. Dann würde Al aufstehen und den anderen Fernfahrern die Sache erklären, und sie alle würden Masao beistehen und ihm helfen, seinen Onkel zu besiegen . . .

Statt dessen sagte Masao: »Ich . . . ich bin aus der Schule abgehauen. Ich will einen Freund in Los Angeles besuchen.«

Die beiden Männer beobachteten ihn und überlegten, was sie mit ihm anfangen sollten. Masao hockte vor ihnen und wagte kaum zu atmen. Wenn sie beschlossen, ihn der Polizei auszuliefern, dann war er verloren. Er würde am Ende doch seinem Onkel in die Hände fallen.

Plötzlich lachte Al auf und sagte: »Ich kann dir keinen Vorwurf machen, Junge. Auch ich bin aus der Schule abgehauen, als ich so alt war wie du. Zum Teufel, als Fernfahrer verdiene ich mehr Geld als die meisten *Doktoren*.«

Masaos Herz machte einen Luftsprung. »Dann . . . dann wollen Sie mich nach Kalifornien mitnehmen?«

»Warum nicht?«

Es war, als ob eine gewaltige Last von Masaos Schultern genommen wäre. »Vielen, vielen Dank«, sagte er. »Wo sind wir jetzt?«

»In Hoosier Country. Indiana. In drei Tagen werden wir in Los Angeles sein. Komm. Die Landstraße ruft!«

Am gleichen Nachmittag saß Lieutenant Matt Brannigan an seinem Schreibtisch in Wellington und studierte die Akten eines Einbruchsfalles, als ein Detektiv in sein Büro kam und sagte: »Haste 'ne Minute Zeit, Matt?«

Brannigan stand auf und reckte sich. Er hatte seit acht Uhr morgens Dienst und war müde. Er wollte nach Hause.

»Hat es nicht Zeit bis morgen, Jerry? Cathy schlägt mich tot, wenn ich schon wieder zu spät zum Essen komme.«

Der Detektiv zögerte. »Sicher. Ich geb dir gleich morgen früh den Bericht.« Er wandte sich zum Gehen.

»Wart mal 'n Moment«, sagte Matt Brannigan. »Worum handelt es sich?«

»Erinnerst du dich an jenen Silver Arrow Jet, der vor zwei Wochen hier in der Gegend abstürzte?«

Lieutenant Brannigan erinnerte sich nur zu gut. Vier Menschen waren dabei ums Leben gekommen. Yoneo Matsumoto, seine Frau und die beiden Piloten. »Yeah. Was ist los damit?«

»Scheint so, als wäre es kein Unfall gewesen.«

Brannigan starrte ihn an. »Was redest du da?«

»Wir haben gerade einen vorläufigen Bericht von der Bundes-Luftfahrtbehörde bekommen. Die Treibstofftanks waren voll Wasser. Diese Menschen sind ermordet worden!«

Matt Brannigan spürte, wie ihn ein Frösteln überlief. »Ist das eindeutig erwiesen?«

»Kein Zweifel. Irgend jemand hat Sabotage verübt. Wären die Treibstofftanks nicht frisiert gewesen, dann hätte der Pilot das Gewitter überfliegen können.«

Jerry fuhr fort, die Details des Berichts zu erläutern, aber Lieutenant Brannigan hörte nicht mehr zu. Er erinnerte sich an den jungen Masao, hörte noch seine Stimme: *Meine Eltern wurden bei einem Flugzeugunglück getötet. Ich erbe die Firma meines Vaters. Mein Onkel versucht, sie mir wegzunehmen. Und dazu muß er mich töten.*

Damals war sich Brannigan sicher gewesen, daß das ein wildes Märchen war; ein ausgerissener Teenager, der womöglich Drogen schluckte und Familienprobleme hatte, so was gab's ja häufig genug. Er hatte mit dem Onkel des Jungen telefoniert und gesehen, wie dieser Onkel und sein Chauffeur Masao abholten. Der Junge hatte Brannigan leid getan. Er war so ein netter, ordentlicher Kerl gewesen.

Er erinnerte sich auch an seine Überraschung, als Teruo ihn später anrief und sagte: *Mein Neffe hat unseren Chauffeur ermordet. Die Polizei muß ihn finden, bevor der Junge noch einen Mord begeht.* Irgend etwas hatte damals nicht gestimmt! Lieutenant Brannigan hielt sich viel darauf zugute, ein guter Menschenkenner zu sein. Wie hatte er sich so in dem Jungen täuschen können? Aber er hatte seine Untersuchung abgeschlossen und Teruo Satos Geschichte geglaubt.

Diese letzte Nachricht aber änderte alles. Wenn jemand das Flugzeugunglück geplant hatte, mußte er ein Motiv haben. Und es gab kein stärkeres Motiv als das Riesen-Unternehmen Matsumoto Industries. Wie, wenn Masao die Wahrheit gesagt hatte?

Dann hatte Brannigan den Jungen in Lebensgefahr gebracht!

Der Detektiv hockte an seinem Tisch. Er nahm in Gedanken die Bruchstücke der Geschichte auseinander und setzte sie wieder zusammen. Er benötigte eine Menge Antworten, und er benötigte sie schnell.

Er blickte zu Jerry auf. »Du mußt sofort Matsumoto Industries überprüfen. Ich will wissen, wer der Hauptaktionär der Firma war, als Yoneo Matsumoto noch lebte, und wer es jetzt ist. Setz dich mit dem Anwalt der Firma in Verbindung. Ich will die Antworten morgen auf meinem Schreibtisch haben.«

Es war Nacht. Ein gelber Vollmond hing am Himmel über dem grauen Band des Highways, der sich unter den Reifen des riesigen Trucks abspulte. Masao hockte zwischen Al und Pete in der Fahrerkabine und beobachtete die Lichter vereinzelter Farmhäuser in der Ferne.

»Sind wir noch immer in Indiana?« fragte Masao.

»In Illinois.« Pete zog eine abgewetzte Landkarte aus dem Handschuhfach. »Hier sind wir«, sagte Pete und bezeichnete einen Punkt auf der Karte. »Wir fahren durch Missouri und Oklahoma, kreuzen diese Ecke von Texas, fahren nach Neu-Mexiko und dann nach Arizona, Nevada und Kalifornien. Es sind noch etwa 2000 Meilen.«

Masao starrte ihn ungläubig an: »Und das alles schaffen wir in drei Tagen?«

»Vergiß nicht, daß wir diesen Pott Tag und Nacht am Rollen halten. Darum sind wir auch zu zweit. Wir wechseln uns am Steuer ab.«

Wieder ließ Masao seinen Blick über die Landschaft gleiten. »Es ist so ein riesiges Land«, sagte er. »Viel größer als meine Heimat.« Aber wie schön ist mein Heimatland, dachte Masao. Schneebedeckte Berggipfel und glitzernde Seen, Flüsse und Wasserfälle. Er vermißte die Kirschblüten und die Menschen, die unter den Bäumen saßen und es sich gutgehen ließen. Er sehnte sich danach, mit seinen Freunden an einem der schö-nen Strände von Okinawa herumzutoben. Er wollte nach Hause, nach Japan.

Die einzige Frage war, ob er tot oder lebendig heimkehren würde. Er dachte an Teruo.

Teruo dachte an Masao. Der Junge war ihm schon wieder ent-wischt. Es war inzwischen ein Katz-und-Maus-Spiel zwischen den beiden, ein Kampf mit den Waffen der List. Teruo wußte, daß es nur eine Frage der Zeit war. Am Ende würde er Masao erwischen, und er würde ihn hart bestrafen.

Teruo wandte sich an Nobuo Hayashi, den Sicherheits-Chef von Matsumoto Industries. »Der Junge kann sich doch nicht in Luft aufgelöst haben«, sagte Teruo Sato. »Er muß gefunden werden. Und zwar von uns. Ich will nicht, daß sich die Polizei dieses Landes einmischt. Es war ein Fehler von mir, sie einzu-schalten. Dies ist eine Familienangelegenheit.«

»Ich verstehe, Sir.«

»Tun Sie, was getan werden muß. Heuern Sie noch mehr Männer an. Verdoppeln Sie die Belohnung. Sparen Sie weder Mühe noch Geld. Bringen Sie mir meinen Neffen.«

Teruos Gesicht war nur noch eine finstere Maske, seine Augen funkelten wie Eiskristalle. »Er ist gefährlich. Er hat bereits einen Mord begangen. Wenn er sich nicht lebendig fangen läßt . . . bringen Sie ihn mir tot.«

Lieutenant Matt Brannigan hatte eine unruhige Nacht. Weil er keinen Schlaf finden konnte, war er um drei Uhr morgens leise aus dem Bett geschlüpft. Er hatte versucht, seine Frau nicht zu wecken, aber sie hatte ihn gehört und die Nachttischlampe angeknipst. »Was ist los, Matt? Verdauungsbeschwerden?«

»Blödsinn. Ich habe vielleicht einen unschuldigen Jungen in den Tod geschickt.« Er fuhr sich mit den Fingern durch sein dichtes graues Haar. »Er wollte mit mir sprechen, aber ich habe nicht auf ihn gehört, Cathy. Ich habe ihn einem Mann in die Hände geliefert, der ihn umbringen will.«

»Bist du sicher?«

»Nein. Aber ich werd's in ein paar Stunden wissen. Die Sache gefällt mir nicht. Vielleicht ist der Junge schon tot. Mit dieser Last werde ich dann weiterleben müssen.«

»Warum versuchst du nicht, noch ein wenig zu schlafen? Du kämpfst gegen Schatten.«

Aber die Schatten wollten nicht weichen.

Als Lieutenant Matt Brannigan in sein Büro kam, lag der Bericht, den er verlangt hatte, auf seinem Schreibtisch. Er las ihn zweimal - das erstemal rasch und das zweitemal ganz langsam, ohne ein Wort auszulassen. So unwahrscheinlich es schien, der Junge hatte die Wahrheit gesagt. Er hatte das riesige Matsumoto-Imperium geerbt. Und falls er starb, so besagte das Testament des Vaters, sollte sein Onkel alles besitzen. Matt Brannigan hatte schon Männer gekannt, die für zehn Dollar oder eine Flasche Whisky einen Mord begingen. Man brauchte nicht viel Phantasie, um sich auszumalen, was ein Mann tun mochte, um ein Wirtschafts-Imperium von unschätzbarem Wert zu gewinnen. Teruo Sato mußte von Anfang an das Testament gekannt haben. Er hatte das Flugzeugunglück geplant - vermutlich in der Meinung, daß er, wenn er Yoneo Matsumoto aus dem Weg geräumt hatte, leicht auch den Sohn loswerden konnte. Mit Brannigans Hilfe war es ihm beinahe gelungen. Der Junge war zu ihm gekommen und hatte um Hilfe gefleht, und er hatte ihn seinem Feind ausgeliefert. Irgendwie mußte er Masao finden und ihn retten. Falls Masao noch am Leben war! Dies mußte er als erstes herausfinden.

Er nahm das Telefon und wählte den Zentralen Polizei-Computer in Manhattan. »Hier spricht Lieutenant Matt Brannigan. Da gab es eine Fahndung nach einem gewissen Masao Matsumoto, ein japanischer Junge, achtzehn Jahre alt. Stellen Sie bitte fest, ob die Fahndung noch immer läuft.«

»Bleiben Sie dran, Lieutenant«, sagte eine Stimme. Eine Minute später hörte er: »Sie ist noch in Kraft, Lieutenant.«

»Danke.« Matt Brannigan legte erleichtert den Hörer auf. Wenn der landesweite Fahndungsbefehl noch in Kraft war, so bedeutete dies, daß Masao noch in Freiheit war. Er mußte ihn finden, bevor Teruo Sato ihn fand. Es war ein Wettlauf gegen die Zeit.

Er klingelte nach seinem Assistenten. »Schaff mir alles herbei, was wir über den Fall Matsumoto in den Akten haben!«

Fünf Minuten später las er Hellers Protokoll über Sanae Doi.

Als er es durchgelesen hatte, sprang Lieutenant Matt Brannigan in seinen Wagen und machte sich auf den Weg zur Matsumoto-Fabrik.

Sanae hatte Masao nicht vergessen können. Sie wußte ganz sicher, daß Masao ihr nur einen Teil der Wahrheit erzählt hatte und daß er irgendwie in furchtbaren Schwierigkeiten steckte. Sie hätte alles getan, um ihm zu helfen, aber jetzt war er fort. Sie wußte nicht mal, ob er tot war oder noch lebte. Sie erinnerte sich, wie begeistert Masao beim Baseball-Spiel gewesen war, wie er gejubelt und beide Seiten angefeuert hatte. Sie dachte an sein Lächeln und an seine freundliche Art.

»Sanae!«

Die Stimme schreckte sie aus ihrem Tagtraum auf. Sie hob den Kopf und sah den Vorarbeiter, Mr. Heller, vor ihr stehen.

»Ja, Mr. Heller?«

»Mr. Watkins will Sie sehen. Sofort.«

»Ja, Sir.«

Sanae trat ins Büro des Personalchefs ein und überlegte sich, was dieser von ihr wollte. Es war noch ein zweiter Mann im Zimmer, jemand, den Sanae noch nie gesehen hatte. Instinktiv wußte sie, daß es ein Polizist war, und sie war sofort auf der Hut.

Watkins sagte: »Sanae, das ist Lieutenant Brannigan. Er möchte Ihnen ein paar Fragen stellen.« Watkins erhob sich. »Ich will Sie jetzt beide allein lassen.«

»Vielen Dank«, sagte Lieutenant Brannigan. Er drehte sich zu Sanae um. »Bitte, nehmen Sie Platz.«

Sie setzte sich und versuchte, ihre Nervosität zu verbergen.

»Soviel ich weiß, waren Sie und der junge Masao befreundet?«

»Nein, Sir.« Ihre Stimme war fest.

Matt Brannigan blickte sie skeptisch an. »Wirklich? Sie haben doch zusammen gearbeitet, nicht wahr?«

»Ja, Sir.«

»Und sprachen Sie nicht miteinander bei der Arbeit?«

»Nein, Sir.«

Der Detektiv beugte sich vor. »Aber Sie sprachen jeden Tag in der Mittagspause miteinander?«

Er wußte es also. Er hatte ihr nachspioniert!

»Ich weiß nichts über ihn«, sagte Sanae hartnäckig.

»Sanae, ich bin hier, um Masao zu helfen. Ich glaube, sein Leben ist in Gefahr.«

Ja, dachte Sanae. Durch dich!

»Wissen Sie, wo er ist?«

Sie schaute ihn an und konnte diesmal die volle Wahrheit sagen: »Nein, Sir, ich habe keine Ahnung.«

Matt Brannigan hatte die ganze Zeit das Gefühl gehabt, daß das Mädchen log. Jetzt aber sprach sie die Wahrheit. Und das beunruhigte ihn. Sie war seine einzige Spur. Wenn sie nicht wußte, wo Masao steckte, dann hatte er überhaupt keinen Anhaltspunkt. Teruo hatte gute Aussichten, den Jungen zu finden, bevor die Polizei ihn fand. Was das bedeutete, wollte der Detektiv sich nicht ausmalen.

Er *mußte* eine Möglichkeit finden, das Mädchen zu überzeugen, daß er auf Masaos Seite stand. »Sie haben ihm doch geholfen zu fliehen, nicht wahr, Sanae?«

»Nein, Sir.«

»Sie sagen mir nicht die Wahrheit. Der Kassierer drückte Ihnen ein Foto von ihm in die Hand, und Sie führten ihn hinaus, bevor jemand ihn identifizieren konnte. Sie brachten ihn zu sich nach Hause. Ein Privatdetektiv namens Sam Collins kam, um ihn zu suchen, und Sie verhalfen Masao zur Flucht.«

Sanae preßte ihre Lippen zusammen und sagte nichts.

Er musterte sie eine Weile. »Wissen Sie, wer Masao ist?«

Sanae nickte. »Er ist Masao Harada.«

Der Detektiv ließ sie bei ihrem Irrtum. »Wissen Sie auch, warum er auf der Flucht ist?«

»Ja, weil sein Vater ihn nach Japan zurückbringen will. Aber Masao will nicht.«

Das also war Masaos Story! Lieutenant Brannigan mußte eine rasche Entscheidung treffen. Er hatte keine festen Beweise für seine Vermutung in der Hand. Und doch wußte er, wenn er diese Vermutung nicht aussprach, gab es keine Möglichkeit, Sanae zu überzeugen.

»Hören Sie mir gut zu«, sagte er. »Masaos richtiger Name ist Masao Matsumoto. Diese Firma trägt den Namen seines Vaters.«

Sanae starrte ihn ungläubig an. »Wollen Sie damit sagen, er gehört zur Familie Matsumoto?«

»Er ist der Sohn.«

»Das glaube ich nicht . . .«

»Hören Sie mich zu Ende an. Masaos Vater wurde ermordet. Masao hat das Matsumoto-Imperium geerbt.«

Sanae beobachtete ihn mit mißtrauischem Blick und versuchte zu begreifen, was er gesagt hatte.

»Die Sache hat nur einen Haken. Wenn dem Jungen etwas passiert, wird der Onkel alles erben. Fünf Menschen wurden bereits ermordet. Ich glaube, Masaos Onkel wird versuchen, auch ihn zu ermorden.«

»Oh, mein Gott!« Jetzt war alle Farbe aus Sanaes Gesicht gewichen. Sie glaubte ihm. Er hatte keinen Grund, eine solche Geschichte zu erfinden. Sie erinnerte sich an den Tag, als Teruo Sato in die Fabrik gekommen war. Masao hatte sein Gesicht versteckt. *Sind sie fort?* hatte er gefragt. Und sie erinnerte sich, wie er sie aus dem Baseball-Stadion fortgezerrt hatte, bevor das Spiel zu Ende war, und wie die Polizei die Tribünen absuchte - und wie Masao in ihrer Wohnung vor dem Detektiv geflüchtet war. Ja, auf einmal ergab das alles einen Sinn!

»Sein Onkel hat eine ganze Armee von Männern in Marsch gesetzt, um ihn zu suchen«, sagte Lieutenant Brannigan. »Masao hat niemand, an den er sich wenden kann. Wenn sie ihn zuerst finden, ist er tot, Sanae. Diese Leute scheuen vor nichts zurück. Ich muß ihn finden, bevor sie ihn finden. Aber ich weiß nicht, wo ich ihn suchen soll. Ich weiß nicht, wohin er fahren will, oder . . .«

»Nach Kalifornien.« Sanae preßte sich die Hand auf den Mund. Sie hatte gar nicht gemerkt, daß sie etwas sagte.

»*Wo* in Kalifornien?« In seiner Stimme lag ein Drängen, das Sanae auf einmal mißtrauisch machte. Wie, wenn nur ein *Teil* seiner Geschichte stimmte? Wie, wenn er auf Teruos Seite stand und Masao suchte, um ihn seinem Onkel in die Hände zu liefern?

»Ich weiß nicht«, sagte Sanae. Sie sah die Enttäuschung im Gesicht des Detektivs.

»Hat er Ihnen denn keine Andeutung gemacht? Hat er denn keinen Namen erwähnt? Irgend jemand, den er um Hilfe bitten könnte?«

Er hatte einen Namen erwähnt. Seinen Freund Kunio Hidaka.

Sanae blickte dem Detektiv fest in die Augen und sagte: »Nein, er hat niemanden erwähnt.«

Sie würde sich von diesem Polizisten nicht durch einen Trick überlisten lassen, ihm zu helfen, damit er Masao fangen konnte.

Lieutenant Brannigan seufzte. »Schade. Nun, jedenfalls vielen Dank.« Er stand auf. »Sollten Sie sich doch noch an etwas erinnern, rufen Sie mich bitte an.« Er griff in seine Tasche. »Hier ist meine Visitenkarte.«

Sanae steckte die Karte ein, ohne sie anzusehen. Sie hatte nicht die Absicht, sie zu benutzen.

Elftes Kapitel

»Wir sind gleich in Los Angeles«, verkündete Al.

Masao konnte es kaum glauben, daß sie ihr Ziel wahrhaftig erreicht hatten.

Die Fahrt durch das Land war faszinierend gewesen. Es war, wie sein Vater ihm gesagt hatte: Amerika hatte fünfzig Staaten, und jeder Staat war ein Land für sich. Masao hatte die Häfen von New York gesehen, die reichen Farmen von Indiana und Illinois, die weiten Prärien von Texas und die unfruchtbare Wüste von Arizona. Als sie dann nach Kalifornien kamen, wurde das Land grün und farbenprächtig und reich an Früchten und Blumen, und es erinnerte Masao an seine Heimat. In den letzten zwei Stunden waren die Farmen und satten Weiden zuerst von vereinzelten Häusern und Fabriken, dann von Kleinstädten und Vororten abgelöst worden. Und jetzt sahen sie schon die Wolkenkratzer von Los Angeles selbst. Die Skyline war nicht so gewaltig wie die von Manhattan, aber Masao fand, daß sie sauberer und moderner wirkte.

Zum erstenmal, seit dieser unglaubliche Alptraum angefangen hatte, fühlte sich Masao in Sicherheit. Er hatte es geschafft, seinem Onkel und der Polizei von New York zu entkommen und nach Kalifornien zu fahren. Kunio Hidaka würde ihm helfen. Wenn Mr. Hidaka erst die ganze Geschichte erfuhr, würde er wissen, was zu tun war.

Während der sechstägigen Reise hatte Masao den Fahrer Al und seinen Gehilfen Pete besser kennengelernt. Er hatte von ihren Frauen und ihren Kindern gehört und erfahren, wie die amerikanischen Arbeiter denken. Sie waren freundlich und großzügig, offen und unkompliziert. Masao hatte das Gefühl, daß es gut war, solche Freunde zu haben - aber schlimm, sie zum Feind zu haben. Sie lachten über Masaos Aussprache gewisser schwieriger Wörter, aber es war kein unfreundliches Lachen. »Du mußt noch dein *r* verbessern«, ermahnte ihn Pete. »Wie du es aussprichst, klingt es eher wie *l*. Wenn du zum Beispiel *Reis* sagst, klingt es wie *Läus. Reis* ist etwas zum Essen, *Läuse* kämmt man sich aus den Haaren!«

Masao überlegte, wie sie sich anstellen würden, Japanisch zu sprechen, aber er bemühte sich, die Wörter sorgfältiger auszusprechen. Eine Sache, die Masao bei seinen neuen Freunden nicht verstand, war ihre Einstellung zur Gewerkschaft. Sie gehörten zur berühmten Teamster's Union.

»Die mächtigste Gewerkschaft der Welt«, prahlte Al. »Wir könnten dieses Land binnen vierundzwanzig Stunden auf die Knie zwingen.«

»Aber warum wollt ihr das?« fragte Masao.

»Ach, das ist nur so eine Redensart. Ich meine - unsere Arbeitgeber müssen uns alles geben, was wir verlangen.«

Masao versuchte, ihnen die Einstellung der Arbeiter in Japan zu erklären. »Es ist wie eine große Familie. Der Arbeiter ist sein Leben lang gut versorgt. Er weiß, daß er nicht entlassen wird. Der Wohlstand des Unternehmens ist *sein* Wohlstand. Er ist sehr stolz auf seine Arbeit.«

»Andre Völker, andre Sitten«, sagte Pete.

Damit war das Gespräch beendet.

Als die Hochhäuser der City von Los Angeles vor ihnen aufragten, sagte Al: »Wir kommen genau nach Fahrplan.«

Der Lastzug verließ die Autobahn und bog in die San Pedro Street ein. Ein paar Minuten später rollten sie auf einen riesigen Verladehof. Al bremste den mächtigen Truck weich ab und schaltete den Motor aus.

Er drehte sich zu Masao um. »Kommst du jetzt klar, Junge?«

»Ja, vielen Dank. Ich komm jetzt alleine weiter.«

»Laß dich nicht erwischen«, sagte Pete.

Masao schaute ihn erschrocken an. »Mich erwischen lassen?«

»Du weißt schon. Zurück in die Schule.«

»Oh«, stotterte Masao. »Ich . . . ich werd schon aufpassen.« Er hatte die Story ganz vergessen, die er ihnen erzählt hatte.

Er kletterte aus der Führerkanzel. »Ich möchte euch beiden vielmals danken. Ich werde euch immer dankbar sein.«

Er meinte es aufrichtiger, als sie ahnen konnten. Sie hatten ihm wahrscheinlich das Leben gerettet. Masao wollte irgendwie tiefe Dankbarkeit zeigen. »Falls ihr jemals nach Tokyo kommt«, sagte er, »wäre es mir eine Ehre, euch zu bewirten.«

Die beiden Männer grinsten über die Idee, daß dieses Kerlchen sie bewirten wollte.

»Wirklich nett von dir«, sagte Al. »Wir stecken's uns an den Hut.«

»An den Hut?«

»Yeah. Ich meine, wir heben's uns für ein andermal auf. Paß gut auf dich auf!«

»Ich will mein Bestes tun«, versprach Masao. Jetzt war es ja nicht mehr schwer. Er hatte es geschafft.

Zehn Meter weiter stapelte ein japanischer Arbeiter Matsumoto-Fernsehgeräte in einen Lieferwagen. Er unterbrach seine Arbeit und beobachtete, wie Masao aus der Führerkanzel kletterte. Er starrte lange hinüber, dann griff er in seine Tasche und holte ein Foto heraus. Noch einmal musterte er Masao, um sicherzugehen, daß er keinen Irrtum beging. Dann eilte der Arbeiter über den Platz zu einer Telefonzelle.

Er wählte die Fernsprechvermittlung und sagte: »Ich möchte ein Direkt-Gespräch nach New York anmelden, mit Mr. Teruo Sato . . .«

Hollywood war ganz anders, als Masao es sich vorgestellt hatte. Er hatte immer gemeint, es sei der Gipfel von Ruhm und Glanz, das Land von John Wayne und Humphrey Bogart und James Cagney und Gary Grant und Charlie Chaplin.

Die Wirklichkeit war enttäuschend. Sicher, da waren die Namen der berühmten Film-Stars - in die Bürgersteige der Stadt eingelassen. Die Namen von Marilyn Monroe und Greta Garbo und Clint Eastwood und Bruce Lee. Aber der Hollywood Boulevard war schmutzig und verwahrlost. Er war von kleinen Arkaden und Pizzerias und Astrologenbuden und schäbigen Bars eingesäumt. Es war wie eine billige Version der Ginza von Tokyo. Aber zumindest, dachte Masao, wird mich hier niemand suchen.

Er ging in ein Drugstore, wo es eine Telefonzelle gab.

»Entschuldigung«, sagte Masao zu dem Mädchen hinter der Theke. »Ich möchte eine Telefonnummer finden. Wie macht man das?«

»Einfach die Auskunft anrufen. 411.«

Ach so. Es war genau wie in New York. »Vielen Dank.«

Masao trat in die Telefonzelle und wählte die Nummer. Eine Stimme sagte: »Hier Auskunft. Kann ich Ihnen behilflich sein?«

»Ja, danke«, antwortete Masao. »Ich suche die Telefonnummer der Matsumoto-Fabrik. Sie muß in North-Hollywood liegen.«

»Buchstabieren Sie bitte den Namen.«

Masao buchstabierte. Ein paar Sekunden später hatte Masao die Nummer. Er drückte kurz den Hörer auf die Gabel und wählte erneut.

Eine fröhliche Stimme sagte: »Guten Morgen, hier Matsumoto Industries.«

Masao spürte, wie sein Herz schneller schlug. »Ich möchte mit Mr. Kunio Hidaka sprechen, bitte.«

»Moment. Ich verbinde.«

Gleich darauf sagte eine andere Stimme: »Hier Büro von Mr. Hidaka.«

Masao konnte es kaum erwarten: »Bitte, kann ich mit Mr. Hidaka sprechen?«

»Tut mir leid. Mr. Hidaka ist nicht in der Stadt. Kann ich Ihnen helfen?«

Masaos Herz setzte beinahe aus. »Ich . . .« Er zögerte. Er mußte Mr. Hidaka alles selbst erklären. »Wann kommt er denn wieder?«

»Wir erwarten ihn am Freitag zurück.«

Drei ganze Tage! »Könnten Sie mir, bitte, seine private Telefonnummer geben? Es ist sehr wichtig.«

»Tut mir leid. Solche Auskünfte darf ich Ihnen nicht geben. Wollen Sie eine Nachricht hinterlassen?«

»Nein. Ich werde . . . ich werde wieder anrufen.«

Mutlos verließ Masao die Telefonzelle. Noch drei Tage Warten! Nach all der Spannung kam es ihm vor wie lebenslänglich. Wie hatte er sich darauf gefreut, Mr. Hidaka zu sehen, ihm alles zu erklären, was passiert war, und diesem Alptraum ein Ende zu bereiten. Na ja, er konnte nichts anderes tun, als zu warten. Er mußte sich zwingen, geduldig zu sein. Wenigstens war er einstweilen in Sicherheit, hier in Los Angeles. Teruo suchte ihn wahrscheinlich noch immer in New York. Er würde irgendwo ein kleines Hotel finden und sich die Sehenswürdigkeiten der Stadt anschauen, bis er Mr. Hidaka besuchen konnte.

Zwei Dinge vor allem wollte er sehen: Disneyland und die Universal-Studios.

Dreitausend Meilen entfernt, in New York, sprach Teruo Sato ins Telefon. Seine Stimme war kalt. »Ich habe soeben einen Anruf erhalten. Der Junge hält sich in Los Angeles auf. Heuern Sie so viele Männer an, wie Sie brauchen. Es gibt drei Orte, auf die Sie die Suche konzentrieren müssen: Kleine, abgelegene Hotels, Disneyland und die Universal-Studios.«

Teruo hätte noch eine dritte Adresse erwähnen können, aber er tat es nicht. Um diese Sache wollte er sich selber kümmern. Es gab nur einen Menschen in Kalifornien, den Masao aufsuchen konnte: Kunio Hidaka.

Teruo würde als erster dort sein.

Am Abend fand Masao ein kleines Hotel in Hollywood, in einer Nebenstraße des Cahuenga Boulevard, wo er die Nacht verbringen wollte.

»Wie lange werden Sie bleiben?« fragte der Portier.

»Eine Woche.«

Am nächsten Morgen verließ Masao zeitig das Hotel. Fünf Minuten nachdem er gegangen war, kamen zwei Privatdetektive in die Lobby, legten dem Portier Masaos Foto vor und fragten, ob er ihn identifizieren könnte.

»Klar«, sagte der Portier. »Sie haben ihn um ein Haar verpaßt.« Er blätterte in seiner Kartei. »Er heißt Masao Harada. Er will eine Woche bleiben.«

Die beiden Privatdetektive wechselten einen zufriedenen Blick.

»Wir werden warten«, sagten sie.

Sie setzten sich in den Hintergrund der Lobby, wo sie vom Eingang her nicht zu sehen waren.

Sie würden lange warten müssen. Masao wußte nicht, daß er jetzt auch in Kalifornien gejagt wurde, aber sein Instinkt sollte ihn retten. Er hatte gar nicht die Absicht, in dieses Hotel zurückzukehren. Er hatte vor, jede Nacht in einem anderen Hotel zu schlafen, damit niemand seine Spur aufnehmen konnte.

Er kaufte sich ein Paar Unterhosen, Jeans und ein T-Shirt, ein Taschentuch und frische Socken, aber er ließ die alten Klamotten gleich in der Umkleidekabine des Kaufhauses liegen. Er hatte sowieso genug mit sich herumzuschleppen.

Er frühstückte in einer Crêperie am Sunset Boulevard und erkundigte sich, wie man nach Disneyland kam. Er hatte drei Tage vor sich, und er war entschlossen, sich die Zeit so gut wie möglich zu vertreiben. Es hatte ja keinen Zweck, im Hotel zu sitzen und zu grübeln.

Dreißig Minuten später saß er im Bus nach Disneyland.

Hollywood war zwar eine Enttäuschung, aber Disneyland übertraf Masaos tollste Erwartungen. Es war ein dreißig Hektar großes Märchenland, eine verzauberte Welt aus lauter verzauberten Welten.

Es gab beinahe sechstausend Angestellte, die diesen ewigen Jahrmarkt in Schwung hielten, und vierundfünfzig Attraktionen. Masao wußte nicht, wo er beginnen sollte. Er fing seine Besichtigungstour in der Main Street an, durch die er in einer mit Pferden bespannten Kutsche rollte. Es war eine andere Welt, in einem anderen Jahrhundert.

Er nahm an der Dschungel-Safari teil, wo Krokodile nach dem Boot schnappten, und kletterte in das Schweizer Familien-Baumhaus.

Auf dem New Orleans Square besuchte er das Geisterschloß und staunte, wie geschickt die unheimlichen Effekte ins Werk gesetzt waren.

Dann kam Fantasyland, und Masao fuhr mit dem Bobschlitten vom Matterhorn ab und schipperte mit dem Motorboot über den See und wanderte durch die zauberhafte *Kleine Welt*.

Dann fuhr er mit der Himmelsfähre ins Zukunftsland und machte eine Reise im Unterseeboot.

Als der Vergnügungspark seine Pforten schloß, war Masao erschöpft. Das Bärenland und das Grenzerland hatte er auslassen müssen, aber er würde ja eines Tages wiederkommen.

Masao ahnte gar nicht, was für ein Glück er gehabt hatte, denn im Disneyland-Park suchten ihn bereits ein Dutzend Männer, und er war ihnen nur durch Zufall im Gewimmel der Menschenmenge entgangen.

Morgen, dachte Masao, will ich die Tour durch die Universal-Studios machen.

Dabei hatte er, wie sich zeigen sollte, weniger Glück.

Mit dem Bus nach Hollywood zurückgekehrt, fand Masao ein kleines Hotel, nicht weit vom Sunset Strip. In Disneyland hatte er den ganzen Nachmittag genascht: Hot Dogs und Popcorn und Eiskrem. Jetzt aber hatte er richtigen Hunger. Masao setzte sich wieder in ein deutsches Bierlokal, wo ihn wahrscheinlich niemand suchen würde.

Gegenüber, auf der anderen Straßenseite des Sunset Strip, war das *Whisky-a-Go-Go,* eine Diskothek. Einer Eingebung folgend, ging Masao hinein. Es war wie ein Gang durch die Hölle. Stroboskop-Blitze zuckten durch den Saal, und über die Lautsprecher dröhnte der Disko-Beat so gewaltig, daß man keinen klaren Gedanken fassen konnte. Auf einer erhöhten Plattform wirbelten zwei halbnackte Mädchen umher, und auf der Tanzfläche davor übten ein Dutzend Pärchen die neuesten Schritte.

Ein attraktives japanisches Mädchen nickte Masao zu. »Magst du tanzen?«

Masao war in Versuchung, ja zu sagen, aber da gab es zwei Probleme: Erstens ging er gerne in Diskos, und das wußte Teruo wahrscheinlich. Und zweitens konnte auch dieses Mädchen eine Spionin sein, die ihm nachstellte. Darum sagte Masao höflich: »Nein, danke. Ich wollte sowieso gerade gehen.«

Er lief ein weites Stück durch die Straßen, bis er sicher war, daß niemand ihm folgte, und kehrte dann in sein Hotel zurück.

Erschöpft fiel er ins Bett, aber er konnte nicht einschlafen. Noch zwei Tage, bis Kunio Hidaka wiederkam. Ich werde morgen früh noch einmal anrufen, dachte Masao. Vielleicht können sie ihm inzwischen eine Nachricht von mir ausrichten.

Er dachte an Al und Pete und an die lange Fahrt quer durch die Vereinigten Staaten.

Er dachte an das Matterhorn und die Reise im Unterseeboot.

Er dachte an das japanische Mädchen in der Disko. War sie eine von *ihnen?*

Er dachte an Sanae.

Der Schlaf wollte nicht kommen.

Sanae konnte nicht einschlafen. Sie lag im Dunkel und warf sich hin und her. Und endlich, als sie es nicht mehr aushalten konnte, zog sie sich einen Bademantel an und ging in die Küche, sorgsam bedacht, Vater und Mutter nicht aufzuwecken. Sie kochte sich eine Tasse Kaffee, auf die sie gar keinen Durst hatte, und setzte sich an den Tisch, um ihn mit kleinen Schlucken zu trinken. Sie überlegte, was sie tun sollte. Am Nachmittag waren alle möglichen wilden Gerüchte durch die Fabrik geschwirrt.

»Wißt ihr schon«, hatte der Mann, der neben ihr arbeitete, gefragt, »daß der Junge, der hier war, angeblich Masao Matsumoto ist? Ich habe gehört, daß Mr. Sato der neue Besitzer sein soll.«

Sanae hatte einen gewaltigen Schrecken bekommen. Der Polizist hatte also die Wahrheit gesagt! Und wenn er in diesem

Fall die Wahrheit gesagt hatte, dann war vielleicht auch alles andere, was er gesagt hatte, wahr - daß Masao in Lebensgefahr schwebte, daß Masao getötet werden würde, falls sein Onkel ihn vor der Polizei aufspürte. Und sie wäre schuld daran. Andererseits - wenn es ein Trick war? Wie, wenn Lieutenant Matt Brannigan die Absicht hatte, Masao wegen Mordes ins Gefängnis zu stecken?

Sanae starrte das Telefon an und wußte nicht, was sie tun sollte. Sie wußte nur, daß das Leben eines Menschen, den sie sehr gern hatte, in ihrer Hand lag. Sie betrachtete die Visitenkarte, die der Detektiv ihr gegeben hatte. *Sollten Sie sich doch noch an etwas erinnern, rufen Sie mich bitte an.* Zweimal streckte sie die Hand nach dem Telefonhörer aus, und zweimal zog sie die Hand wieder zurück. Sie wagte nicht, einen Fehler zu machen. Wer waren Masaos Freunde und wer waren seine Feinde?

Am Morgen verließ Masao sein Hotel und suchte eine Telefonzelle. Es gab ein Telefon in der Lobby, aber Telefone konnten abgehört werden. Er wählte die Nummer von Matsumoto Industries und wurde mit Kunio Hidakas Büro verbunden.

»Ich habe gestern schon einmal angerufen«, sagte Masao. »Ich muß ganz dringend Mr. Hidaka sprechen. Ich habe gehofft, er ist vielleicht früher zurückgekehrt.«

»Tut mir leid«, sagte die Sekretärin. »Er ist erst morgen wieder hier.«

Noch ein Tag verloren!

»Falls Sie ihm eine Nachricht hinterlassen wollen . . .«

»Vielen Dank. Ich rufe morgen früh wieder an.« Er mußte eine Möglichkeit finden, sich noch einmal einen Tag zu verstecken. In vierundzwanzig Stunden würde alles vorbei sein.

Er würde die Tour durch die Universal-Studios machen. Dort konnte er in der Menge untertauchen.

Sie warteten auf die Züge der Glamour-Tram, Hunderte von Touristen aus allen Teilen der Welt, und alle wollten die Universal-Filmstudios sehen. Da waren Deutsche und Italiener und Franzosen und Japaner und Schweden, und alle schwatzten in ihren Muttersprachen drauflos.

Masao stand inmitten der wartenden Menge. Er fühlte sich in Sicherheit.

Eine Fremdenführerin sagte: »Machen Sie sich bereit, Herrschaften. Steigen Sie ein in die Glamour-Tram und nehmen Sie Ihre Plätze ein. Das Abenteuer beginnt.«

Die Glamour-Tram bestand aus drei orange und weiß gestrichenen Waggons, die aneinandergekoppelt waren. Sie hatten gestreifte Baldachin-Dächer und offene Seiten. Als der Zug hielt, stieg Masao ein und suchte sich einen Sitzplatz. Verstohlen musterte er die anderen Passagiere, aber keiner schien sich besonders für ihn zu interessieren. Die Bahn ruckte an, und die Fremdenführerin, ein attraktives junges Mädchen, begann mit ihrer Ansprache.

»Willkommen in den Universal-Studios. Bis zum heutigen Tag hatten wir 26 Millionen Besucher, und wir freuen uns, Sie heute begrüßen zu dürfen. Die Universal-Studios wurden im Jahr 1915 eröffnet, als Carl Laemmle . . .«

Masao hörte nicht weiter zu. Er beobachtete die unglaublichen Szenen, die sich draußen abspielten. Er sah Schauspieler, die in Ritterrüstungen einherschritten, Mädchen in Bikinis und Männer in Cowboy-Kostümen. Die Bahn kurvte um ein abgelegenes Gelände, wo ein altes Herrenhaus im Stil der Südstaaten stand. Die Vorderseite des Herrenhauses sah prächtig aus, aber als die Bahn um die Ecke bog, sah Masao, daß das ganze Gebäude nur eine Fassade aus Brettern und Balken war.

Dann ratterte der Zug über eine Holzbrücke, und als sie in der Mitte angelangt war, sank die Brücke in sich zusammen.

Trotzdem erreichte die Tram sicher das andere Ufer, und jetzt richtete die Brücke sich ganz von selbst in ihre ursprüngliche Lage auf.

Sie kamen an einem friedlichen See mit einem kleinen Dorf im Hintergrund vorbei.

»Dies ist Amityville«, erklärte die Führerin. Sie deutete auf die Mitte der Wasserfläche. »Passen Sie auf!« Alle Augen wandten sich dem unbestimmten Etwas zu, das auf die Tram zugeschossen kam. »Es ist der *Weiße Hai!*« keuchten die Touristen, als der mechanische Haifisch neben der Bahn das Wasser peitschte. Dann tauchte er wieder unter und griff die Figur eines Fischers in seinem Ruderboot an, das er zum Kentern brachte. Masao hatte den Film *Der Weiße Hai* gesehen und konnte über das kleine Drama lachen.

Jetzt näherten sie sich einem anderen See, und die Tram ratterte direkt auf das Wasser zu. Die Passagiere wurden allmählich nervös.

»Dies ist das Rote Meer«, erklärte die Führerin, »und wir werden mitten hindurchfahren.« Als die Tram über die Uferböschung brauste, teilten sich wie durch Wunderkraft vor ihr die Wasser.

»Dies ist ein wahres elektronisches Wunderwerk, denn es werden 40000 Gallonen Wasser in weniger als drei Minuten durch einen verborgenen Druckkanal aus einem See von 200 m Länge, 50 m Breite und 2 m Tiefe abgesaugt. Aber mit der Glamour-Tram ist die Fahrt durchs Rote Meer viel bequemer als in biblischen Zeiten.«

Später, im Lauf des Vormittags, sah Masao die Stuntmen aus brennenden Häusern springen; er geriet in den *Krieg der Sterne,* wo Roboter ihre Laserkanonen auf ihn und die anderen Touristen abfeuerten; er wurde beinah unter einer Gletscher-Lawine begraben – und er besichtigte Robert Wagners Garderobe.

Aber dann, im *Visitors' Entertainment Center,* begannen die Schwierigkeiten. Masao bewunderte gerade eine Tierdressur mit Vögeln und Mäusen, als er spürte, daß er beobachtet wurde. Er drehte sich unauffällig um und begegnete dem Blick eines Mannes, der neben dem Eingang stand. Masao hatte in den letzten Tagen ein scharfes Gespür für die Gefahr entwickelt, und er wußte sofort, daß der Mann ein Detektiv war. Es standen noch zwei andere Männer bei ihm, und auf ein Zeichen des Detektivs gingen sie jetzt los, um auch die anderen Ausgänge des Saales zu besetzen. Der Detektiv drängte sich durch die Menge - zu der Stelle, wo Masao saß. Es gab keinen Ausweg mehr.

Der Dressur-Akt ging gerade zu Ende. Die Zuschauer standen auf und klatschten Beifall. Die Führerin sagte: »Alle bitte hier entlang.« Und die Touristen drängelten zu den Ausgängen.

Masao rannte in die entgegengesetzte Richtung, zur Bühne. Weit hinten sah er den Detektiv, der sich durch die Menschenmenge boxte, um ihn einzuholen. Masao hechtete auf die Bühne. Der Dompteur sagte: »Du hast dich wohl verlaufen. Dies ist . . .«

»Entschuldigen Sie, Sir.« Und schon fand sich Masao hinter der Bühne wieder, in einem Dschungel von Requisiten und zwischen Käfigen voller Tiere. Er rannte einen langen Korridor hinab und gelangte durch eine Tür wieder ins strahlende Sonnenlicht. Ein Blick über die Schulter zeigte ihm, daß auch der Detektiv durch die Tür gesprungen kam.

Jetzt sah er ihn.

»Stehenbleiben!« schrie er.

Masao fing an zu rennen. Er bog um die Ecke und stieß beinahe gegen ein Kamel.

»Paß doch auf, wohin du trampelst!« brüllte der Kameltreiber.

Dort vorne erhob sich ein Betonbau mit einer roten Blitzlaterne über dem Eingang. Masao riß die Tür auf und stand vor einer zweiten Tür. Er drückte sie auf und lief auf eine breite Theaterbühne hinaus. Nicht weit entfernt stand eine größere Menschenansammlung beisammen, und Masao mischte sich unter sie, um sich vor seinen Verfolgern zu verstecken. Gleich neben ihm stand eine alte Dame. Plötzlich schnappte ein schäbig gekleideter Mann ihre Handtasche und rannte davon.

»Haltet den Dieb!« kreischte die Frau.

Ohne Überlegung hechtete Masao dem Mann in die Kniekehlen und riß ihn zu Boden. Der Mann schaute Masao ungläubig an und rief: »Was fällt dir eigentlich ein? Das steht doch gar nicht im Drehbuch!«

Eine wütende Stimme schrie: »Klappe!« Und als Masao sich umdrehte, blickte er direkt in eine Filmkamera.

Der Regisseur brüllte: »Schafft den Kerl weg! Wir müssen wieder von vorn anfangen!«

Gehetzt rannte Masao von der Bühne.

Die Straßen zwischen den Studios waren voller Menschen, aber Masao fühlte sich nicht sicher. Seine Feinde wußten, er war hier. Und gerade, als er dies dachte, sah er den Detektiv um die nächste Ecke biegen.

Rasch schlüpfte Masao in ein großes Gebäude, das wie ein Lagerhaus aussah. Er fand sich in einem unheimlichen Museum wieder, bis unters Dach angefüllt mit Requisiten und Kulissenteilen. Da gab es alte Schwerter und moderne Laserkanonen, Feuerwehrautos und Flugzeugrümpfe. Und es gab alte Möbel aus allen Jahrhunderten und Kostüme aller Epochen. Masao duckte sich tief in die Schatten und horchte. Sein Herz klopfte laut. Er hörte Schritte am Eingang, dann tappten sie weiter. Der Detektiv ging wahrscheinlich Hilfe holen.

Ich muß hier raus, dachte Masao. Aber wie? In wenigen Minuten werden sie alle Ausgänge der Studios bewachen. Sie hatten ihn eingekesselt. Sie würden ihn schnappen, sobald er zu verschwinden versuchte. Er durfte es nicht zulassen! Er hatte doch eine Verabredung mit Kunio Hidaka.

Alle Ausgänge der Universal-Studios wurden scharf bewacht. Privatdetektive, jeder mit Masaos Foto bewaffnet, überprüften die Gesichter aller Besucher, die das Gelände verließen. Es war Mittagszeit, und viele Schauspieler schlenderten über die Straße zu den kleinen Restaurants im Umkreis der Universal-Studios. Der Detektiv, der Masao als erster entdeckt hatte, staunte über die Vielfalt der Kostüme. Er sah einen indischen Prinzen in prächtiger Robe durch die Pforte wandeln, und hinter ihm einen nubischen Sklaven; es kamen ein Riese und ein Lilliputaner; ein biblischer Patriarch und ein Clown mit bemaltem Gesicht. Der Detektiv achtete nicht auf den Clown, der durchs Tor hinausspazierte. Er war zu eifrig damit beschäftigt, nach Masao Ausschau zu halten.

In einer öffentlichen Toilette zog Masao das Clown-Kostüm aus und wusch sich die Schminke vom Gesicht. Er wußte jetzt, daß Teruos Männer überall waren und nach ihm fahndeten. Er mußte ein neues Hotel finden und durfte sich bis zum nächsten Morgen nicht aus dem Zimmer rühren - bis er Kunio Hidaka anrufen konnte. Sie würden ihn wahrscheinlich in der Umgebung von Hollywood suchen, darum nahm Masao einen Bus nach Glendale und fand dort in einem kleinen Hotel Zuflucht.

Er konnte den nächsten Morgen kaum erwarten.

Zwölftes Kapitel

Teruo Sato regte sich nicht besonders darüber auf, daß Masao seinen Männern schon wieder entwischt war. Beim Schachspiel kam es nicht auf *Schach* an, sondern auf *Schachmatt*.

Und an diesem Tag würde es Schachmatt heißen. Sein Neffe war schlau gewesen, aber nicht schlau genug. Er verließ sich darauf, daß Kunio Hidaka ihn retten würde, weil er sonst niemanden hatte, dem er sich anvertrauen konnte. Aber Kunio Hidaka war immerhin nur ein Angestellter, und er würde sich an die Befehle seines Arbeitgebers halten - und der hieß Teruo Sato.

Teruo wollte Hidaka als Köder benutzen, um Masao in die Falle zu locken.

Als Teruo in Los Angeles eintraf, hatte er erfahren, daß Hidaka verreist war.

»Holen Sie ihn mir ans Telefon«, hatte Teruo der Sekretärin Hidakas befohlen.

»Ja, Mr. Sato.«

Teruo wartete in Hidakas Privatbüro und rauchte eine der Havanna-Zigarren aus dem Frischhalte-Kästchen auf dem Schreibtisch.

Die Sekretärin sagte: »Mr. Hidaka ist am Apparat.«

Teruo nahm den Hörer auf.

»Hidaka?«

»Guten Morgen, Mr. Sato. Ich hatte keine Ahnung, daß Sie

in Kalifornien sind, sonst hätte ich Sie gerne persönlich begrüßt. Ich . . .«

»Wo sind Sie jetzt?«

»In Arizona, ich schau mich nach einem Gelände für eine neue Fabrik um. Es ist ein . . .«

»Wie schnell können Sie nach Los Angeles zurückkehren?«

»Ich hatte vorgehabt, am Freitag - also morgen - wieder da zu sein, aber meine Geschäfte hier sind noch nicht abgeschlossen. Ich komme wahrscheinlich am Montag zurück.«

»Nein, Sie müssen morgen hier sein.«

»Ja, Mr. Sato.«

»Ich schicke Ihnen einen Firmen-Jet.«

»Vielen Dank.« Es trat eine Pause ein, dann sagte Kunio Hidaka: »Es hat mir sehr leid getan, der Tod von Mr. Matsumoto.«

»Ja«, erwiderte Teruo. »Es war eine traurige Nachricht für uns alle. Er war ein großer Mann.«

»Ja, das war er. Und ein guter Freund. Ich werde ihn vermissen. Ist Masao bei Ihnen?«

»Wird er sein«, versprach Teruo. »Wir sehen uns morgen.«

Teruo legte den Hörer auf und lehnte sich im Sessel zurück. Er war mit sich zufrieden.

Schachmatt.

Kunio Hidaka war ein nachdenklicher Mann. Es passierten Dinge, die ihn verwirrten. Er hatte Yoneo Matsumoto und seine Frau geliebt, und er betrauerte ihren Tod. Masao war beinahe ein Sohn für ihn, und doch hatte er beunruhigende Nachrichten über den Jungen gehört. Irgend etwas stimmte da nicht. Zuerst kam ein Anruf von Teruo Sato, der ihn nach Los Angeles zurückbefahl, und dann war ein zweiter Anruf angekommen, der noch verwirrender war.

Es gab seltsame Zeichen, die er nicht verstand - und sie verhießen nichts Gutes.

Er hatte eine Verabredung, und er sah ihr mit Grauen entgegen.

Am nächsten Morgen, um neun Uhr, griff Masao in seinem Hotelzimmer nach dem Telefon. Es machte ihm nichts mehr aus, ob das Gespräch abgehört wurde. Jetzt war es zu spät, sich darüber Sorgen zu machen. Er war jetzt ganz auf Kunio Hidaka angewiesen. Es gab keinen Platz mehr, wo er sich verstecken konnte. Masao wählte die Nummer, und kurz darauf klang die jetzt schon vertraute Stimme von Mr. Hidakas Sekretärin aus der Muschel.

»Büro Mr. Hidaka.«

»Ich habe schon paarmal angerufen. Ist Mr. Hidaka schon zurück?«

»Wen soll ich melden, bitte?«

»Sagen Sie ihm, hier ist Masao.«

»Einen Moment, bitte.«

Und dann kam Kunio Hidakas Stimme aus dem Apparat. »Masao-kun!«

Masao wurde von plötzlicher Freude überwältigt. Endlich! »Mr. Hidaka! Oh, Mr. Hidaka! Es ist sehr wichtig, ich muß sofort mit Ihnen sprechen. Können wir uns irgendwo treffen?«

Kunio Hidaka sagte: »Natürlich. Komm doch in mein Büro.«

Masao zögerte. Er hätte es vorgezogen, sich woanders mit Mr. Hidaka zu treffen. Die Fabrik wurde wahrscheinlich bewacht. Er mußte sehr vorsichtig sein. Er wußte, wenn er jetzt einen Fehler machte, würde es wahrscheinlich sein letzter sein.

»Haben Sie schon mit meinem Onkel Teruo gesprochen?« fragte er behutsam.

Es entstand eine kaum spürbare Pause. »Nein«, sagte Kunio Hidaka. »Habe ich nicht.«

Masao war überrascht. Er hatte sich vorgestellt, daß Teruo sich mit Mr. Hidaka in Verbindung setzen würde. Aber Masao vertraute diesem Mann. Er legte sein Leben in seine Hand. »Sehr gut. Ich komme sofort in Ihr Büro. Ich möchte Sie so schnell wie möglich sprechen.«

»Ja, komm nur.«

Langsam legte Kunio Hidaka den Hörer auf die Gabel und sah Teruo Sato an.»Haben Sie gut gemacht«, sagte Teruo. »Fahren Sie jetzt wieder nach Arizona und wickeln Sie dort ihre Geschäfte ab. Ich werde mich um Masao kümmern.«

»Es schien ihm viel daran gelegen, mit mir zu sprechen. Er . . .«

»Ich sagte Ihnen schon, Hidaka, er hat Probleme in letzter Zeit. Der Tod seiner Eltern hat ihn tief aufgewühlt. Überlassen Sie meinen Neffen ruhig mir.«

»Ja, Sir.«

Kunio Hidaka verbeugte sich und verließ das Büro.

Teruo gab der Sekretärin seine Anweisungen und machte es sich für die Wartezeit bequem. Alles war für Masaos Ankunft bereit. Diesmal würde kein Fehler passieren.

Masao hockte in seinem Hotelzimmer, neben dem Telefon, und dachte nach. Vielleicht hätte er doch darauf beharren sollen, sich irgendwo anders mit Mr. Hidaka zu treffen. Dort, in seinem Büro, würde er sich nackt und schutzlos fühlen. Er erinnerte sich, wie sein Foto in der New Yorker Fabrik verteilt worden war. Bestimmt hatte Teruo sein Bild in allen Matsumoto-Fabriken verbreitet. Und doch hatte Mr. Hidaka nichts dergleichen gesagt. Irgendwie, dachte Masao, läuft das alles auf einmal viel zu glatt. Vielleicht, dachte er, kommt es nur daher, weil ich schon zu lange auf der Flucht bin. Ich kann es nicht glauben, daß die Sache endlich zu einem Ende kommt.

Jedenfalls hatte er keine andere Wahl. Kunio Hidaka war seine letzte Hoffnung, wenn er am Leben bleiben wollte. Einen Moment war Masao in Versuchung, Mr. Hidaka noch einmal anzurufen und einen anderen Treffpunkt mit ihm zu verabreden. Dann aber dachte er: Nein. Ich muß ihm völlig vertrauen.

Masao verließ sein Hotel und machte sich auf den Weg.

Er nahm den Bus nach North Hollywood und stieg drei Blocks vor der Fabrik aus. Er ging langsam weiter, immer die Gesichter der Menschen auf der Straße beobachtend, immer nach etwas Verdächtigem Ausschau haltend. Alles erschien normal. Niemand schien sich für ihn zu interessieren. Er war vielleicht übervorsichtig. Jetzt stand er vor dem gewaltigen weißen Fabrikgebäude mit dem stolzen Zeichen auf dem Dach: *Matsumoto Industries.* Menschen kamen und gingen durch die Pforte, es war ein stetiges Gewoge. Masao überquerte die Straße und ging auf das Tor zu. Er hatte es fast erreicht, als eine Männerstimme hinter ihm sagte: »Stehenbleiben! Nicht bewegen!«

Und es umklammerte ihn ein stählerner Griff.

Dreißig Minuten später trat Masao in Kunio Hidakas Vorzimmer ein.

»Ich bin Masao Matsumoto«, stellte er sich der Sekretärin vor. Er war stolz, daß er wieder seinen wahren Namen angeben konnte. »Ich habe eine Verabredung mit Mr. Hidaka.«

Getreu ihren Anweisungen, sagte die Sekretärin: »Mr. Hidaka erwartet Sie. Bitte, gehen Sie in sein Büro.«

»Danke.«

Masao holte tief Luft, stieß die Tür auf und trat ein. Er blieb wie angewurzelt stehen, als er sah, wer dort vor ihm stand.

147

»Willkommen«, sagte Teruo Sato. »Ich habe dich erwartet, Masao.« Links und rechts von ihm standen zwei große, kräftige Männer.

Masao stand wie erstarrt.

Teruo wandte sich zu den beiden Männern um. »Warten Sie draußen. Ich möchte mich mit meinem Neffen allein unterhalten.«

Die Männer gingen hinaus und schlossen die Tür hinter sich. Teruo blieb stehen und musterte seinen Neffen. Seine Augen verrieten tiefe Befriedigung. »Überrascht?«

»Ich . . . wo . . . wo ist Mr. Hidaka?«

»Leider mußte er verreisen. Aber wir brauchen ihn nicht. Wir können unsere Angelegenheiten auch unter vier Augen besprechen.«

»Ich habe nichts mit dir zu besprechen.«

»Ach, hast du nicht, mein lieber Neffe? Du hast mir eine Menge Schwierigkeiten gemacht!«

Masao sagte nichts.

»Du hast dich, fürchte ich, sehr schlecht benommen. Du hast Schande über die Familie gebracht.«

»Wenn jemand Schande über die Familie gebracht hat«, sagte Masao, »dann bist du es. Du bist ein Dieb. Du hast versucht, mir die Firma meines Vaters zu stehlen.«

»Die Firma gehört mir. Gehörte immer schon mir. Man kann nicht etwas stehlen, was einem selbst gehört.«

»Was wirst du mit mir machen?«

»Dasselbe, was ich mit deinem Vater gemacht habe. *Er* war der Dieb. Ohne mich wäre die Firma ein Nichts gewesen. Er hat meine Leistung nie anerkannt. *Nie*!« Seine Stimme bebte vor Haß. »Für ihn war ich nur der arme Schwager, dem er einen Knochen hinwarf. Na, jetzt ist er an diesem Knochen erstickt! Er hätte die Firma mir hinterlassen sollen, ich hab sie verdient!« Er zitterte vor Wut - und merkte es plötzlich selbst.

Mit einer gewaltigen Willensanstrengung gewann er seine Beherrschung wieder. »Was vorbei ist, ist vorbei. Ich muß jetzt an meine Zukunft denken. Du stehst mir im Weg, Masao. Du mußt verschwinden. Wenn du dich ordentlich benimmst, werde ich dafür sorgen, daß du einen schmerzlosen Tod hast - ein rascher Unfall.«

Masao stand nur da und sah ihn an. Er sagte nichts. Teruo ging zur Tür und riß sie auf. Er ließ Masao nicht aus den Augen. »Genug jetzt. Bringt ihn fort«, befahl er.

Lieutenant Brannigan trat ein und sagte: »Guten Morgen, Mr. Sato.«

Teruo fuhr überrascht herum. Statt seiner beiden Totschläger stand jetzt der Lieutenant vor ihm. Und die Überraschung wurde noch größer. Hinter ihm standen Kunio Hidaka und zwei Polizisten in Uniform.

»Was . . . was soll das alles heißen?« fragte Teruo aufgebracht. »Warum sind Sie noch da, Hidaka?«

Mr. Hidaka sagte: »Lieutenant Brannigan hat verlangt, daß ich bleibe.«

Teruo starrte den Polizist an. »Wie können Sie es wagen, sich in mein Geschäft einzumischen?« Empörung lag in seiner Stimme.

»Genau darüber wollte ich mich mit Ihnen unterhalten«, sagte Lieutenant Brannigan. »Es ist nämlich gar nicht Ihr Geschäft. Laut Testament, das ich einsehen durfte, gehört es Ihrem Neffen.«

Teruos Gedanken überschlugen sich. »Ich . . . na ja, natürlich. Aber der Junge hat einen Nervenzusammenbruch gehabt. Und Sie wissen ja, er hat einen Menschen ermordet.«

Ganz ruhig sagte Lieutenant Brannigan: »Nein. Davon weiß ich nichts. Nur Sie haben es mir erzählt.«

»Das sollte Ihnen genügen! Mein Neffe braucht dringend ärztliche Behandlung. Ich werde dafür sorgen, daß er sie bekommt. Und jetzt muß ich Sie alle bitten, mein Büro zu verlassen.«

Keiner rührte sich von der Stelle.

»Sie haben ausgespielt«, sagte Matt Brannigan.

»Ausgespielt? Wovon reden Sie eigentlich?«

»Ich habe hier einen Haftbefehl für Sie.«

Teruo starrte ihn ungläubig an. »Einen Haftbefehl? Für mich? Sind Sie wahnsinnig geworden? Wie lautet überhaupt die Anklage?«

»Auf vierfachen Mord. Und einen Mordversuch.«

»Das ist ja lächerlich!« Sein Hirn arbeitete fieberhaft. Er versuchte herauszufinden, was hier los war. »Sie machen da einen furchtbaren Fehler.«

»Nein«, korrigierte ihn der Detektiv. »Sie haben einen Fehler gemacht. Ich habe mit Todao Watanabe gesprochen. Er sagte mir, daß Sie das Testament, das er aufsetzte, von Anfang an gekannt haben. Sie hatten erwartet, Mr. Matsumoto würde Ihnen die Hälfte der Firma hinterlassen. Als Sie merkten, daß er nicht diese Absicht hatte, beschlossen Sie, die Firma ganz zu besitzen. Darum planten Sie das Flugzeugunglück. Und dann versuchten Sie, das letzte Hindernis aus dem Weg zu räumen - Masao.«

»Sie . . . Sie sind verrückt!«

»Heute morgen hat Mr. Hidaka mir von Ihrem Plan berichtet, Ihren Neffen zu einer Begegnung mit ihm herzulocken, die niemals stattfinden sollte. Ich wartete draußen vor der Fabrik, bis Masao kam, und dann hatten Masao und ich ein langes Gespräch miteinander.«

Teruo Sato gewann sein Selbstvertrauen wieder. Es war ganz egal, wessen man ihn verdächtigte. Diese Idioten hatten gar keine Beweise. Er war einfach zu schlau für sie. »Sie glauben doch nicht einem Jungen, der geistig gestört ist. Sie haben doch nicht die Spur eines Beweises.«

»Du irrst dich.« Es war Masao, der sprach. Er griff in die Tasche und holte einen kleinen Kassettenrekorder hervor. Er drückte auf einen Knopf, und Teruos Stimme schallte durchs Schweigen des Zimmers. »... *Die Firma gehört mir. Gehörte immer schon mir. Man kann nicht etwas stehlen, was einem selbst gehört...*«

Teruo Sato erbleichte.

»*Was wirst du mit mir machen?*«

»*Dasselbe, was ich mit deinem Vater gemacht habe. Er war der Dieb...*«

Alle standen da und lauschten, wie Teruo Sato sich selbst sein Urteil sprach.

»... *Du mußt verschwinden. Wenn du dich ordentlich benimmst, werde ich dafür sorgen, daß du einen schmerzlosen Tod hast - ein rascher Unfall...*«

Masao stellte den Rekorder ab. Es herrschte ein tödliches Schweigen im Raum.

Alle blickten Teruo Sato an.

Er versuchte zu sprechen. »Ich... Ich...« Aber es gab nichts mehr zu sagen. Der Kassettenrekorder hatte schon alles gesagt.

Lieutenant Brannigan wandte sich an die beiden Polizisten: »Ich werde ihn nach New York bringen lassen.«

Schweigend sahen sie zu, wie Teruo aus dem Raum geführt wurde.

»Was passiert jetzt mit ihm?« fragte Masao.

»Er wird vor Gericht gestellt und verurteilt werden. Seine eigene Stimme wird ihn überführen. Sie war glockenklar zu verstehen.«

»Kein Wunder«, sagte Masao mit leisem Stolz. »Der Kassettenrekorder ist ein Produkt von Matsumoto Industries.«

Kurz darauf tranken die drei Männer Tee in Kunio Hidakas privatem Speisezimmer.

Masao schaute Lieutenant Brannigan an: »Ich weiß nicht, wie ich es jemals wieder gutmachen kann, was Sie für mich getan haben. Vielleicht werden Sie eines Tages mit Ihrer Frau nach Japan kommen und meine Gäste sein?«

Lieutenant Brannigan lächelte. »Das würde ich sehr gern tun.«

Er mußte daran denken, wie nah er dran gewesen war, diesen Jungen in den Tod zu schicken, und bedächtig sagte er noch einmal: »Ja, das würde ich sehr gern tun.«

Hidaka fragte: »Was sind deine nächsten Pläne, Masao-kun?«

»Ich möchte die Asche meiner Eltern nach Hause bringen und ihnen ein angemessenes Begräbnis verschaffen.«

Kunio Hidaka nickte. »Ich werde sofort alle Vorbereitungen treffen, damit sie von New York hierher gebracht werden. Gibt es sonst noch etwas, was ich für dich tun kann?«

Masao überlegte einen Moment. »Ja. Da gibt es ein Mädchen, sie heißt Sanae Doi, die in der New Yorker Fabrik arbeitet. Ich möchte, daß sie ein Stipendium bekommt und zur Hochschule gehen kann.«

Kunio Hidaka machte sich eine Notiz. »Es wird erledigt.«

»Und es gibt dort einen Vorarbeiter, er heißt Oscar Heller. Ich möchte, daß er entlassen wird.«

Kunio Hidaka nickte und machte sich noch eine Notiz. »Sonst noch etwas?«

»Ja.« Masao zog einen Pfandschein aus der Tasche und reichte ihn Kunio Hidaka. »Ich möchte die Uhr meines Vaters wiederhaben.«

Masao schaute aus dem Fenster des Silver Arrow Jets, der sich majestätisch in die Luft erhob und eine Schleife über Los Angeles drehte. Das Flugzeug flog eine letzte Kurve und nahm Kurs nach Westen, der untergehenden Sonne entgegen.

Masao und seine Eltern waren endlich auf dem Weg nach Hause.

Er dachte an alles, was ihm in diesem Land widerfahren war.

Er dachte an Higashi und an seinen ersten Kampf auf Leben und Tod.

Er erinnerte sich an den Marathonlauf und an Jim Dale.

Und an Pete und Al.

Und an Disneyland und an die Universal-Studios.

Und an Lieutenant Brannigan.

Er dachte an Sanae und Masao, und er wußte, daß er eines Tages, bald, wiederkommen würde.

FREDERICK FORSYTH

»Bei Frederick Forsyth ist die Handlung
zwar immer frei erfunden, aber sie spielt
sich in einem so exakt recherchierten und
realistischen Rahmen ab,
daß sie genauso passieren könnte.«
Berliner Zeitung

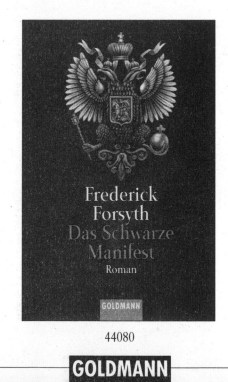

44080

GOLDMANN

MINETTE WALTERS

»Die Geschichte vom bizarren Tod der Mathilda Gillespie
fesselt durch eine Atmosphäre überwältigender und unent-
rinnbarer Spannung. Der englische Kriminalroman ist
bei Minette Walters dank ihrer Souveränität und
schriftstellerischen Kraft in den denkbar besten Händen.«
The Times

»Minette Walters ist Meisterklasse!«
Daily Telegraph

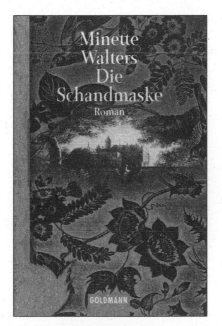

43973

GOLDMANN

ELIZABETH GEORGE

Verratene Liebe und enttäuschte
Hoffnung entfachen einen Schwelbrand
mörderischer Gefühle...

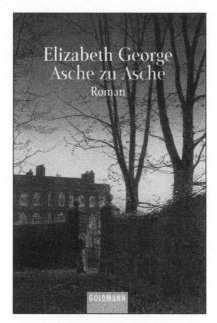

Elizabeth George
Asche zu Asche

Roman

GOLDMANN

43771

GOLDMANN

FREDERICK FORSYTH

Ein packender Roman über den Golfkrieg
im Jahr 1991.

Frederick Forsyth ist berühmt für seine
meisterhafte Recherche und eine brillante
Erzähltechnik, die Fakten und Fiktion auf
packende Weise verbindet.

43394

GOLDMANN